LE DÉMON DE SAINTE-CROIX

STANISLAS-ANDRÉ STEEMAN

LE DÉMON
DE
SAINTE-CROIX

LIBRAIRIE DES CHAMPS-ÉLYSÉES

I

L'HONNÊTE VILLAGE DE SAINTE-CROIX

Nulle occupation n'absorbait autant l'attention de Mme Petyt-Havet, mercière, que celle qui consistait à clore ses volets.

Depuis sa plus tendre enfance, Mme Petyt-Havet avait peur des voleurs. Mourir assassinée était une perspective qui la condamnait à passer nombre de nuits blanches quoique la brave femme ne fût pas loin, tout au fond de son cœur, de considérer cette fin comme la seule digne d'elle.

Son magasin était un tout petit magasin à la vitrine étroite et à la façade couleur chocolat. Et pour que nul ne puisse prendre – par on ne sait quel mystérieux et prodigieux concours de circonstances – ce tout petit magasin pour autre chose que ce qu'il était (pour un grand bazar, par exemple), l'enseigne en avait été ainsi conçue : *A la Petite Boutique.*

Louise Bosquet était, pour la mercière, une aide précieuse. Orpheline, laide, contrefaite, elle avait été recueillie par Mme Petyt-Havet, un jour où cette dame subissait une crise de philanthropie et se demandait avec angoisse si elle avait assez fait pour son prochain. Silencieuse, active, d'un caractère égal, Louise Bosquet vaquait aux soins du ménage comme une ombre. Elle ne possédait rien en propre, sinon une collection d'images pieuses aux ors éclatants et aux bleus agressifs qu'elle ne manquait point d'enrichir à chaque occasion. Cet inestimable trésor était enfermé à double tour dans la petite table de bois blanc, surmontée d'une glace étoilée, qui servait de lavabo à l'orpheline, dans la mansarde qu'elle occupait au-dessus de la chambre à coucher de sa protectrice.

En rentrant, ce soir-là, dans son magasin les volets posés et bouclés devant la vitrine, Mme Petyt-Havet avisa Louise Bosquet qui traînait un torchon sur le plancher et lui dit – car elle aimait l'outrance dans les discours :

– Le ciel que nous avons, ce soir, Louise, est un ciel de crime...

Louise Bosquet releva la tête et chassa, d'un mouvement du poignet, une mèche de cheveux qui pendait sur son front.

– Vous vous faites des idées, madame, répondit-elle. Sainte-Croix est un village honnête habité par d'honnêtes gens...

– Il y a les vagabonds, les oiseaux de passage! s'écria Mme Petyt-Havet d'une voix tragique. Louise, je ne suis pas tranquille...

Elle alla au comptoir retirer la clef du tiroir-caisse. Puis elle interrogea :

– Tu as bien fermé toutes les portes, petite?

– Oui, madame. Comme tous les soirs.

Il y eut un court silence puis les sabots de Louise claquèrent; elle rejeta son torchon dans le seau plein d'une eau noirâtre et pustuleuse, saisit l'anse et se dirigea vers la buanderie. La mercière entendit le contenu du seau cascader dans l'évier et le robinet cracher comme un chat irrité.

Louise reparut et s'arrêta dans l'encadrement de la porte, le feu aux joues, haletant un peu de l'effort fourni. Elle rabattait ses manches humides sur ses bras grêles.

Une horloge, dans la maison, fit entendre un son clair qui la trahissait : elle ne pouvait être que de zinc doré, couronnée de fleurs des champs accablantes de vérité et flanquée sûrement de chandeliers du même acabit.

– La demie, madame, fit Louise Bosquet. Puis-je monter me coucher?

– Tu as fini ta besogne?

– Oui, madame.

– Alors...

La mercière s'interrompit :

– Cela t'ennuyerait de traîner ton matelas dans ma chambre, pour cette nuit?

– Non point, madame. Que craignez-vous?

– Rien du tout... J'ai...

La mercière étreignit le bras de l'orpheline :

– Ce soir est un de ces soirs que tu connais bien, un de ces soirs où j'ai peur! Peur!

– Peur, madame! Peur de quoi?

– Peur de tout. Louise, tu le sais! Peur d'un meuble qui craque. De la girouette qui grince de façon anormale. Du chat qui fait tomber un pot de fleurs. Du vent qui bouscule les tuiles... Allons, va! Va vite! Tiens, voici ta lampe. Je t'attends en haut.

La chambre de Mme Petyt-Havet était à l'ordinaire fort sombre quoi qu'elle possédât deux fenêtres donnant sur la Grand-Rue empruntée par le vicinal poussif. Il y avait un gros édredon rouge sur le lit, des photographies jaunies sur l'appui de la cheminée, un christ d'ivoire au-dessus de la porte.

Le premier soin de la mercière fut de regarder sous le lit puis elle posa sa lampe sur la table de nuit et alla tirer les rideaux.

Louise Bosquet entra à ce moment, ployant sous son matelas. Elle le traîna dans un coin et se déshabilla rapidement. La mercière, en se glissant entre ses draps, l'entendit murmurer une prière passionnée. Elle souffla la lampe et le silence s'appesantit, absolu.

Mme Petyt-Havet, les yeux grands ouverts, encore éblouie, ne distingua d'abord rien autour d'elle. Puis des angles et des arêtes de meubles surgirent de l'ombre. Un rond diffus de lumière jaune se dessina sur un des stores baissés : c'était le reflet produit par un des rares réverbères de Sainte-Croix.

D'ordinaire, la mercière tirait vanité du voisinage de ce réverbère. En ce moment, la lumière glauque qu'il diffusait lui causait un malaise intense. Elle se tourna vers la muraille.

Dix minutes plus tard, sa voix retentit, tremblante, à peine distincte :

– Louise!

Nulle réponse.

Elle appela plus fort :

– Louise!

– Madame?

La voix qui répondait était calme. Comme tous les êtres qui n'attendent rien de la vie et n'ont rien à lui donner, l'orpheline ignorait la crainte.

– Louise... Ecoute! Ecoute!

– Je n'entends rien, madame, dit l'orpheline.

– Et maintenant?... Maintenant?...

– Maintenant... J'entends marcher.

La mercière respira profondément :

– Marcher? Marcher, n'est-ce pas?... On marche sur le trottoir... On approche de la maison... Qui marche à cette heure?

Des pas résonnaient, en effet, distinctement, sur les pavés de la Grand-Rue.

De nouveau, Louise Bosquet fit preuve d'un froid bon sens :

– Quelque attardé qui rentre du café, dit-elle. Pourquoi vous inquiéter?

Mme Petyt-Havet ne perdit pas l'occasion d'exploiter le tragique latent de la situation :

– Pourquoi?... N'entends-tu rien d'autre, Louise?

– Si, madame. A vrai dire, j'entends un autre pas. Il y a quelqu'un d'autre dans la Grand-Rue.

– Quelqu'un d'autre, n'est-ce pas? Une personne qui marche sur la pointe des pieds, une personne qui suit la première et qui cherche à n'être pas entendue d'elle...

– Ou bien, madame, respectueuse du repos d'autrui.

Les premiers pas s'éloignaient : c'étaient des pas francs, assurés, honnêtes. Les autres s'entendirent bientôt plus fort : ils passaient sous les fenêtres, ils s'éloignaient aussi...

Ils se firent plus rares et plus appuyés : ils n'eussent pas résonné autrement si le second passant se fût mis à courir...

Puis soudain, un cri perça le silence.

Ce cri rauque, inarticulé, quasi inhumain – cri d'un homme qu'on égorge.

La nuit en frissonna, comme blessée, et, presque aussitôt, un chien, deux chiens, tous les chiens du voisinage se mirent à hurler longuement, à la mort.

– On... On..., râla la mercière.

Louise Bosquet avait repoussé sa couverture. Elle se dressait, toute blanche dans l'ombre de la pièce, comme un fantôme.

– On tue, quelqu'un, dit-elle. Oui, madame, la chose est évidente. Il faut aller voir.

Elle regagna la porte et l'ouvrit. Mme Petyt-Havet, aussi étrange que cela puisse paraître, ne se récria pas. A proprement parler, elle s'était sentie « s'en aller », mais, à présent, elle n'était plus que curiosité avide. Un miroir lui renvoya vaguement, lorsqu'elle eut réussi à allumer la lampe de ses doigts tremblants, l'image déformée de son visage livide.

Les deux femmes dégringolèrent l'escalier. Ouvrir la porte du magasin leur prit une minute.

Des châles jetés sur leurs épaules, elles coururent vers l'endroit où cela avait dû se passer.

Elles eurent tôt fait, au reste, de trouver ce qu'elles cherchaient :

Le cadavre était couché, face contre terre, six maisons plus loin, au bord de l'ombre.

II

L'ASSASSINÉ

— Voilà, dit Viroux en poussant au milieu de là table la feuille sur laquelle il avait inscrit les comptes. Monsieur Gyther vous devez onze francs cinquante à M. Wyers. Vous, monsieur Verspreet...

Mais sa voix fut couverte par un tollé. Il n'allait pas s'en aller, non? Il n'était pas tard. Vraiment, il n'était pas tard. M. Gyther et M. Verspreet désiraient ardemment qu'on leur accordât une « revanche ».

Viroux secoua la tête.

— Vous m'excuserez, fit-il. Il y a là M. Cosse qui ne demande qu'à prendre ma place.

Il se retourna vers un gros homme rougeaud qui avait suivi toutes les parties avec des yeux brillant d'envie :

— N'est-il pas vrai, monsieur Cosse?

— Le fait est..., commença M. Cosse.

Mais les autres revinrent à la charge : la demie de 10 heures venait à peine de sonner.

— Viroux, déclara M. Verspreet, vous ne nous ferez pas croire, mon bon, que vous allez vous coucher... Alors?

— Hé! hé! suggéra M. Gyther de sa voix fluette. Quelque promenade sentimentale, peut-être?

Haussant les épaules, Viroux repoussa sa chaise.

— Le bougre! Il ne dit pas non! Vous voyez bien qu'il ne dit pas non!... Avouez, Viroux : il y a une femme là-dessous?

— Avouez, Viroux! reprirent les autres, en chœur.

Viroux secoua la tête mais il prit, dans le même temps, une pose à ce point avantageuse qu'aucune des personnes présentes ne pouvait plus conserver le moindre doute à cet égard.

– Heureux gaillard! cria M. Wyers. Toujours à courir la prétentaine... Ah! vous ne connaissez pas de cruelles, vous. Est-ce une brune? Unc blonde?

– Une rousse? intervint M. Cosse.

– Bah, laissons cela! fit Viroux en se levant. Monsieur Cosse, prenez ma place. Elle est bonne.

– Heureux en amour... Les meilleurs dictons sont quelquefois trompeurs, dit M. Gyther. Bonsoir, don Juan. Vous verra-t-on demain?

– Demain, peut-être... Après-demain, non. Je serai parti, encore une fois, vers d'autres cieux.

– Et vous verrez des visages nouveaux! fit M. Cosse avec regret. D'autres paysages... Des femmes plus belles... Monsieur Viroux, j'ai toujours envié votre sort...

Viroux se rengorgea, cambra le torse, avança la jambe.

– Ma foi, dit-il, tout le monde ne peut pas être commis voyageur. C'est une profession qui a ses charmes mais ses rigueurs aussi. Il y faut de l'entregent, de belles manières, de l'éloquence...

– Du bagou, fit M. Verspreet.

– Du bagou, parfaitement! Cette éloquence des simples... Il y faut aussi de la ténacité, de l'énergie, de la bonne humeur...

– Il faut plaire aux femmes, intervint M. Wyers.

– Plaire aux femmes! fit rêveusement M. Cosse. Ma foi, mon père n'a peut-être pas eu tort de tenir absolument à ce que je reprenne son étude...

Il avoua humblement :

– Je n'ai jamais eu beaucoup de succès auprès des femmes.

– Excepté auprès de Mme Cosse! railla M. Wyers.

Viroux, qui avait endossé son pardessus et coiffé son chapeau, se pencha au-dessus de la table et serra des mains.

– Allons, bonsoir, dit-il. Nous remettrons ça

demain, si vous le voulez bien, et si je suis toujours ici... Bonne chance à tous!

Il envoya une claque dans le dos du petit M. Gyther :

– Vous, mon vieux, surveillez vos « annonces »... Bonne nuit!

– Présentez-*lui* mes hommages! cria M. Verspreet.

– Embrassez-*la* pour moi! recommanda M. Wyers.

Le commis voyageur une fois sorti, il y eut un court silence. Puis M. Cosse interrogea :

– Comment nous mettons-nous?

– Nous allons tirer, fit M. Wyers en étalant les cartes.

Il ajouta :

– Un heureux caractère, ce Viroux!

– Oui, un bon type, renchérit M. Verspreet. Un peu vantard, un peu hâbleur, mais il ne ferait pas de mal à une mouche... Savez-vous qui il va retrouver?

– Je m'en doute, fit M. Wyers.

– Moi pas, dit M. Cosse. Qui va-t-il retrouver?

Les trois autres se mirent à rire en se donnant des coups de coude et des claques sur les cuisses. Comment! il ne savait pas? Mais tout le monde, à Sainte-Croix, était au courant des amours de M. Aristide Viroux, commis voyageur en soieries et articles divers.

– Qui est-ce? insista M. Cosse.

Ses compagnons, trop heureux d'avoir enfin trouvé quelqu'un « qui ne savait pas », se refusèrent à toute confidence, se retranchant derrière une discrétion qu'ils n'avaient cependant pas accoutumé de mettre en pratique.

– A vous « la donne », fit M. Wyers. Monsieur Verspreet, nous jouons ensemble. Je compte sur vous pour faire des merveilles.

Ainsi, chaque soir, les joueurs de bridge de Sainte-Croix se réunissaient au Cheval-Blanc (Hôtel-restaurant-café-estaminet, chambres pour voyageurs), sur la place de la Gare. Vers 8 heures, le patron de cet estimable établissement, M. Lepomme, les voyait arriver, deux par deux ou en groupe. Rarement, il en manquait un au rendez-vous. On échangeait quelques plaisanteries traditionnelles, quelques considérations sur le temps et sur la politique. Puis on réclamait les cartes à grands cris, on commandait d'inoffensives consommations.

On constituait toujours au moins deux tables. Ceux qui étaient arrivés les derniers et n'avaient plus trouvé de partenaires regardaient jouer les autres jusqu'à ce qu'une place devînt vacante, son occupant ayant l'habitude de se coucher plus tôt ou cédant aux objurgations d'une épouse délaissée.

Telles étaient les distractions des notables habitants de Sainte-Croix. A l'ardente jeunesse, ils abandonnaient volontiers l'unique salle de cinéma de la localité où l'accompagnement sonore était assuré par les spectateurs eux-mêmes. Trois fois par semaine, un héros sans peur et sans reproche y administrait à une nuée de traîtres la magistrale correction dévolue à leur mérite tandis que, au parterre, les enfants âgés de moins de seize ans, dans leur joie d'avoir été admis, mimaient la scène avec transport.

– Deux dedans, fit M. Verspreet. A vous « la donne », monsieur Wyers.

Le long et maigre M. Verspreet, était le vétérinaire de l'endroit. C'était un personnage volontiers acerbe qui jugeait chaque chose et chacun sans indulgence, au contraire du gros M. Wyers toujours prêt à rire de tout et, spécialement, de ses propres plaisanteries. M. Verspreet soignait les bêtes; M. Wyers, lui, les tuait. Car il était boucher. Certes, M. Verspreet – et d'autres – ne jugeaient pas le gros homme de « leur bord », mais comme il était aimable et, au surplus, excellent joueur on ne lui tenait pas rigueur de ses modestes origines. Mme Cosse, lorsqu'elle reprochait à son mari ses trop fréquentes absences, décrétait qu'il n'était pas de bon ton pour un notaire de se commettre avec le commun mais, sur ce point, sur ce point seulement, M. Cosse faisait la sourde oreille.

– A propos, dit M. Gyther, les roulottes de Bohémiens se sont arrêtées, tout à l'heure, à l'entrée du village. Les avez-vous vues? Je crois que ce sont les mêmes qu'il y a six mois.

– Pour ma part, fit M. Verspreet, je ne goûte guère le voisinage de ces gens-là. Toujours en maraude, ils ne pensent qu'à dépouiller le pauvre monde... Vous pourrez bien, si ces vauriens demeurent ici quelques jours, veiller vous-même à la bonne fermeture de votre poulailler et de vos clapiers, monsieur Gyther.

– Avez-vous remarqué, intervint timidement M. Cosse, combien les femmes qui accompagnent ces bateleurs sont d'ordinaire jolies? Belles, devrais-je dire. Il y a toujours un peu de soleil dans leurs jupes...

– Venant de vous, repartit M. Verspreet, un tel langage m'étonne. Ces femmes sont peut-être belles mais la saleté de leurs vêtements me choque... Oui, me choque...

– Deux cœurs, fit opportunément M. Wyers.

L'horloge placée au-dessus du comptoir sonna onze fois et M. Lepomme, respectueux des traditions, vint s'informer pour la troisième fois de ce qu'il fallait servir à ces messieurs. Encore cette demande était-elle de pure convenance car il était rare que les joueurs variassent la nature de leurs consommations.

– Je pense, déclara M. Verspreet comme il distribuait les cartes et s'adressant à M. Gyther, que vous auriez tort de vouloir, par vos annonces forcées, prolonger absolument cette partie. Cela peut vous coûter cher...

– Ne vous mettez pas en pcine, repartit M. Gyther. Si je perds, commc vous paraissez le croire, j'en serai quitte pour vendre demain une ou deux boîtes de « pastilles pour la toux » en plus – à moins que ce soit des tubes d'aspirine... Mais vous n'avez pas encore gagné.

— Nous allons bien voir! fit M. Verspreet.

Il jeta un bref coup d'œil sur ses cartes et annonça d'une voix ferme :

— Trois sans atouts!

Il y eut un court silence puis il grogna avec irritation :

— Eh bien, c'est à vous, monsieur Cosse!... Que dites-vous?

— Moi? fit le notaire en sursautant. Je ne dis rien.

— C'est bien ce que je vous reproche. Est-ce que vous « passez parole » ou bien...?

M. Cosse avait tourné la tête vers la fenêtre; il ne répondait pas.

— Qu'est-ce qui vous prend? s'écria le vétérinaire... Jouez-vous au bridge ou regardez-vous passer les voitures? Est-ce que...

— Taisez-vous, fit M. Cosse en levant la main. Il m'a semblé entendre...

— Entendre quoi?

A ce moment, M. Gyther posa ses cartes sur la table. Il était un peu pâle.

— Je crois qu'on a crié, dit-il à son tour.

— Où cela? demanda M. Wyers.

— Dans la rue, fit M. Gyther.

— Dans...?

Et, à son tour, M. Wyers, lâchant ses cartes, pencha le buste.

Il y eut un bref silence.

— Bon Dieu! s'écria M. Verspreet en se levant. Qu'est-ce qui se passe?

Des cris éclataient au-dehors, de plus en plus distincts. Des cris de femmes.

— Il faut aller voir! dit M. Wyers.

Il repoussa sa chaise, se dirigea vers la porte du café et l'ouvrit.

Alors, dans le silence de la nuit, les cris éclatèrent, tout proches :

– Au secours! Au secours!

Les hommes se précipitèrent au-dehors. Deux ombres accouraient vers eux en esquissant des gestes désordonnés.

– C'est Mme Petyt-Havet, fit la voix cassée de M. Lepomme.

Et il n'eut que le temps d'avancer les bras pour empêcher la mercière de tomber, à bout de souffle, sur le trottoir.

Louise Bosquet, à son tour, apparut dans la lumière crue plaquée sur le sol par les vitres de l'estaminet.

– Venez vite, dit-elle d'une voix haletante. Il y a un homme couché dans la rue près de chez nous. Il doit être mort...

– Mort! s'écria M. Verspreet.

– Oui, nous l'avons entendu crier. Nous sommes descendues dans la rue. Je crois que... qu'on l'a tué!

– Bon Dieu! balbutia M. Cosse. Un crime! Un crime, tout près d'ici?

– Venez vite! insista Louise. Je vais vous conduire...

Cinq minutes plus tard, les quatre hommes se penchaient sur le cadavre. M. Lepomme, lui, avait entraîné Mme Petyt-Havet dans son café boire un cordial.

– C'est affreux, murmura M. Cosse. Affreux!

– Qui cela peut-il être? interrogea M. Gyther.

Le corps, nous l'avons dit, était couché face contre terre.

– Monsieur Gyther, dit M. Wyers qui était le moins ému de tous, il faut d'abord voir si cet homme est mort. Courez réveiller le docteur et ramenez-le d'urgence. Vous, monsieur Cosse, ou bien vous, monsieur Verspreet, vous devriez aller chercher le commissaire...

Il tâtait ses poches.

– Que cherchez-vous? fit M. Verspreet. Des allu-
mettes?

– Les voici, dit M. Wyers.

Il en frotta une et, abritant la flamme au creux de sa
large main, il se pencha sur le corps.

– N'y touchez pas! fit le vétérinaire. S'il a été
tué...

Toujours baissé, le boucher fit entendre une exclamation étouffée.

– Eh bien? dit M. Verspreet.

M. Wyers se redressa lentement.

– C'est vraiment terrible, murmura-t-il. Cet hom-
me-là, c'est...

– C'est? haleta M. Cosse.

– Aristide Viroux, dit M. Wyers.

III

TRÈFLE, PIQUE ET TRÈFLE

La chambre était large et basse de plafond, ce qu'on
trouve rarement dans ces antiques demeures. Le lit, lui
aussi, était large et bas et recouvert de coussins et de
châles jetés dans un savant désordre quoique non
prémédité. Des fourrures jonchaient le tapis grenat; la
plus belle de toutes, blanche comme l'hermine, gisait
au pied du lit.

L'atmosphère de cette chambre était lourde, saturée
d'un curieux parfum. Personne n'eût pu pénétrer dans
la pièce, pour la première fois, sans s'arrêter un instant
sur le seuil. Elle était toujours mal éclairée. Il y avait
plusieurs lampes, posées un peu partout, l'une sur la
commode, une autre sur la table, près de la fenêtre, ou
encore au-dessus de la coiffeuse et au-dessus du lit.
Mais il n'y en avait jamais qu'une d'allumée.

Dans l'ombre, le cœur de la vieille horloge eut un
tressaillement, puis elle se mit à battre dix coups,

comme avec effort. Sûrement avec effort. Le temps avait presque effacé les chiffres du cadran.

La lampe qui est allumée, ce soir, est celle qui se trouve sur la table et, à la lueur de cette lampe, Edmée, la fille du Dr Hye, interroge les cartes. Elle les dispose avec ordre devant elle, par petits paquets. D'abord, elles n'offrent à son regard que leur dos quadrillé de bleu. La jeune fille les retourne une à une, parfois avec lenteur, comme si elle craignait leur mystérieux arrêt, à d'autres moments, avec une hâte fébrile, dans l'espoir, semble-t-il, de leur faire dire plus que les cartes ont coutume de dire...

Rien n'existe, pour la fille du Dr Hye, en cet instant fatal que presque tous les soirs ramènent, sinon les confidences arrachées à la dame de pique ou au valet de cœur; nulle autre occasion ne s'offre encore à elle de croire à l'amour.

Que fait son père, à cette heure de nuit! Sans doute est-il dans son laboratoire, au haut de la tourelle qui domine le toit, à gauche de la maison. Il y a longtemps qu'Edmée n'est plus entrée dans cette petite pièce garnie d'objets en verre aux formes tourmentées; son père en a interdit l'accès à tous. Petite fille, elle s'y glissait, les soirs d'orage, pour mieux voir les éclairs, pour, disait-elle, « être plus près du tonnerre »...

Son seul refuge, à présent, c'est cette chambre tout amortie de tentures et de tapis. L'armoire du fond, ouverte, laisserait crouler les livres. Ouverte, celle qui se trouve à droite de la porte laisserait crouler les robes.

Edmée se penche sur les cartes. Les secrets qu'elles lui livrent sont vieux comme le monde... Un homme blond... Une lettre à la brune... Un voyage... Quelle misère! De ses petites mains aux ongles aigus, la fille du Dr Hye embrouille le jeu et recommence. C'est qu'elle a tellement besoin de croire aux cartes! Et aussi au sens obscur attaché à des rencontres de ce genre :

un trio de chevaux blancs, un vol de corbeaux, des nonnettes allant deux par deux...

Au pied du lit, sur la belle fourrure blanche, gît, ouvert, *La Clé des Songes.*

Edmée, mille et une fois, s'est interrogée avec fièvre : croit-elle réellement à toutes ces choses? Au danger qu'il y a, pour l'hôte d'une chambre, à jeter son chapeau sur le lit? Aux catastrophes que font prévoir des couteaux posés en croix sur la nappe? Aux dissensions intimes que peut provoquer la chute d'une salière si l'on ne prend soin de conjurer le sort en jetant une pincée de sel par-dessus son épaule gauche? Est-elle réellement superstitieuse?...

Chaque fois, Edmée a répondu oui à cette autre Edmée qui l'interrogeait comme une grande sœur compatissante. Car elle *veut* croire aux cartes et aux diverses manifestations du surnaturel, elle s'efforce de discipliner son esprit à ces jeux, elle a besoin de ce fantastique qu'elle crée sans cesse au long des journées vides. Elle ne peut admettre que la vie soit seulement cela : un lent acheminement vers la mort, une succession d'heures plates et ternes. Sûrement, il y a *autre chose*... Et c'est cet *autre chose* qu'elle tend, de toutes ses forces, à atteindre. Hélas! les fées habitent-elles si loin qu'aucun message ne puisse parvenir jusqu'à elles?...

Edmée, encore une fois, repousse les cartes. Elle se lève. A son cou, comme un serpent d'or, luit un lourd collier. A ses poignets frêles des bracelets s'entrechoquent.

La fille du Dr Hye va se regarder dans la glace. D'abord, se demande-t-elle, se peut-il qu'il n'y ait rien derrière une glace? Tout n'est donc que mensonges? Ce ne sont pas des étangs figés, remplis de bêtes mortes? Il y a le verre et puis, derrière le verre, il y a le tain. Derrière le tain, il n'y a rien. Comme tout cela est triste. Est-ce que personne, jamais, est-ce qu'aucun petit enfant devenu grand ne s'est suicidé en apprenant qu'il n'y avait rien derrière une glace?...

Edmée, maintenant, se regarde. Jadis, lorsqu'elle avait onze ans, la bonne vieille Marie, qui l'avait élevée, grognait en la regardant, les yeux chargés d'amour : « Dirait-on que les Bohémiens l'ont perdue en passant? »

Elle était toute brune déjà, alors, et ses cheveux n'étaient ni moins noirs ni moins rebelles qu'aujourd'hui.

Personne n'eût songé à dire d'elle qu'elle était jolie. Tout au moins, n'est-ce pas ce qu'on eût dit d'abord. Mais bien plutôt : « Comme elle est étrange! » Ou encore : « Elle n'est pas comme les autres... »

Pas comme les autres! Etait-ce sa faute?

Dans le miroir, elle détailla ses grands yeux de velours, son petit front bombé, sa bouche mince et très rouge, son teint d'ocre chaud, ses joues rondes – aux pommettes, peut-être, un peu trop saillantes? – et elle eut un petit accès d'orgueil.

Elle ne fit rien pour le refréner, elle se le permit volontiers car elle le savait éphémère. Pas comme les autres? Eh bien, tant mieux! Oui, elle était étrange, énigmatique – un peu inquiétante, sans doute? De quoi se plaignait-elle? Eût-elle désiré ressembler aux grandes et lourdes Flamandes qu'elle rencontrait, chaque jour, dans les rues du village? Ne préférait-elle pas, à leurs gestes assurés, ses gestes fragiles? N'était-elle donc pas heureuse que l'on évoquât, en sa présence, le souvenir des infantes disparues?...

Elle se rapprocha du miroir.

« Décidément, pensa-t-elle, je suis fort petite... »

Petite, elle l'était certainement; en vain avait-elle recours aux talons hauts et aux robes jusqu'aux pieds pour donner l'illusion d'être de taille moyenne seulement.

Après un dernier regard à son double, la fille du Dr Hye commença à se déshabiller. Son ample jupe et son corsage de satin noir tombèrent mollement sur la fourrure blanche...

Edmée pensait à cet *autre chose* que la vie quotidienne se refusait à lui donner, qui lui avait toujours manqué mais dont l'absence, et même l'ignorance, gâtait, depuis un an, jusqu'aux joies enfantines qu'elle éprouvait quelquefois devant l'éclosion d'une fleur, le scintillement ardent d'une étoile ou la danse des flammes dans l'âtre. Cela, qu'elle cherchait par des moyens détournés, dans un monde factice, n'était-ce pas tout simplement l'amour d'un homme?

Elle hésitait. Non point qu'elle fût ignorante de ces choses. Elle avait au contraire, réuni sur cette question une imposante documentation. Sa bibliothèque était presque uniquement composée de romans d'amour. Elle imaginait parfaitement les sentiments qu'elle pourrait éprouver en présence d'un jeune homme qui lui plairait... Mais où le trouver? Et y en aurait-il jamais un qui pût combler son attente et répondre à sa tendresse?

Dans son long peignoir blanc, elle glissa vers sa table, s'assit et, encore une fois, battit les cartes. Elle ne pouvait s'accommoder de leur mutisme. Ce qu'elle attendait d'elles, c'était une description, la plus détaillée possible, du jeune homme qui, un jour, lui dirait l'aimer et qu'elle aimerait, elle aussi, sans retour. Quelques précisions, touchant les circonstances de temps et l'endroit de la première rencontre seraient également les bienvenues...

Edmée retourna plusieurs cartes qui ne lui apprirent rien. Puis, soudain, à côté de l'as de trèfle, surgit le valet de pique avec son tragique visage de ténèbres. A la place du cœur, un motif rouge dans le tissu de son pourpoint ouvrait comme une fraîche blessure. La main de la jeune fille trembla en retournant la carte suivante, neuf de pique et trèfle encore et cela voudrait dire, d'après l'alignement des cartes précédentes : *Mort violente.*

C'était un trèfle...

Avec un petit soupir, Edmée se laissa aller contre le dossier de sa chaise et, au même instant, des cris montèrent de la rue. En même temps, on appuya plusieurs fois sur la sonnette, de façon précipitée.

Rien ne bougea dans la maison. La jeune fille pensa que les domestiques devaient dormir à poings fermés et que, crierait-on plus fort et sonnerait-on plus longuement, son père, dans son laboratoire, n'entendrait rien.

Elle alla à la fenêtre, l'ouvrit et se pencha.

— Qui est là? demanda-t-elle.

Elle distinguait confusément, dans l'ombre, un groupe d'hommes.

— Vite, mademoiselle! cria une voix angoissée. Il faut réveiller votre père... Un crime vient d'être commis!...

Edmée repoussa le battant de la fenêtre et s'appuya, un instant, au dossier d'un fauteuil. Elle se sentait pâlir. Ainsi, cette fois, les cartes avaient dit vrai... A moins que... A moins que leur arrêt la visât, elle, Edmée spécialement?...

Elle frissonna puis courut vers la porte de sa chambre et l'ouvrit. En passant, elle saisit un manteau dont elle s'enveloppa et, par un petit escalier en colimaçon, aux marches de pierre, qui s'amorçait dans le fond du couloir, elle gagna le sommet de la tourelle où le docteur Hye avait aménagé son laboratoire.

— Père! cria-t-elle.

De la lumière filtrait sous la porte mais nulle réponse ne parvint.

— Père! cria-t-elle plus fort, en frappant l'huis du poing.

Cette fois, un grognement se fit entendre à l'intérieur.

— Venez vite! On réclame votre assistance...

Un pas traîna sur les dalles, une clef tourna dans la serrure et le Dr Hye s'encadra dans le chambranle.

Grand et d'une carrure puissante, il était vêtu d'un mauvais pantalon déformé aux genoux et d'un pull-over de laine brune dont les manches étaient retroussées jusqu'aux coudes. Une mèche de noirs cheveux embrousaillés barrait son front.

– Qu'est-ce qu'il y a? interrogea-t-il d'une voix hargneuse. Cent fois, Edmée, je vous ai interdit de me distraire dans mon travail... Que me veut-on?...

Il prêta l'oreille :

– Ma parole, ces idiots-là vont défoncer la porte!

– Père, fit Edmée d'une voix qui tremblait, ils disent qu'un crime a été commis...

Le Dr Hye se mit à rire. Il riait sans joie, comme avec rancune :

– Dans ce cas, je me demande ce qu'ils veulent. Si l'homme est mort, je n'ai pas le pouvoir de le ressusciter... J'ai grande envie de les envoyer au diable!

– Oh! père! protesta la jeune fille. Et s'il n'est pas mort?

Le Dr Hye haussa ses robustes épaules :

– Descendez et dites-leur que je viens... Je ne pourrais pas continuer à travailler avec un accompagnement pareil.

Il rentra dans son laboratoire, décrocha d'une patère un long manteau huilé et, quand il quitta la pièce, quelques instants plus tard, il ferma la porte d'un double tour de clef.

A cet instant, Edmée venait d'ouvrir celle de la rue. Elle reconnut, à la lumière qui s'échappait du vestibule, M. Gyther, le pharmacien, M. Verspreet, le vétérinaire, et Dykmans, le boulanger.

– Mon père arrive, dit-elle. Qui a-t-on tué?

– Viroux, le commis voyageur, répondit M. Gyther. Mais il faudrait que M. le docteur se hâte si...

– Le voici, dit la jeune fille.

Elle alla au-devant de lui et demanda :

– Père, puis-je vous accompagner?

Le Dr Hye lui jeta un étrange regard.

— Si vous voulez, dit-il. Cela m'est égal. Mais vous n'êtes pas habillée...

— Suffisamment, je vous assure, répondit-elle.

Elle courut au portemanteau, chaussa des galoches sur ses pantoufles et se coiffa d'un petit feutre noir.

Le Dr Hye eut un scrupule.

— Peut-être, fit-il, n'est-ce pas la place d'une jeune fille?...

Mais Edmée l'interrompit :

— Oh! père, je ne vous savais pas formaliste!

— Pardieu, je ne le suis pas... Suivez-moi.

— Quoi! s'écria M. Verspreet comme le docteur refermait la porte de la maison, mademoiselle nous accompagne?

Le Dr Hye toisa le vétérinaire :

— Y verriez-vous quelque chose à redire?

— Non, non! fit M. Verspreet. Certainement pas! Je voulais seulement...

Il n'acheva pas.

Dix minutes plus tard, le groupe rejoignait celui que formaient, autour du corps, M. Wyers, M. Cosse, Louise Bosquet, quelques curieux attardés et quelques voisins tirés de leur lit. Le docteur écarta rudement les gêneurs et s'agenouilla à côté du corps d'Aristide Viroux.

A ce moment, un nouveau personnage entra en scène mais, comme il voulait se pencher à son tour, le Dr Hye se redressa et, lui mettant la main sur le bras, le repoussa doucement.

— Inutile, monsieur le curé, dit-il. Cet homme n'a plus besoin des secours de la religion.

Il plongea la main dans la poche de son pardessus et en tira une lampe électrique :

— Il est bien mort...

Un faisceau lumineux fit jaillir de l'ombre l'image d'une gorge où un lien avait creusé un double bourrelet de chair bleuâtre cerclé d'un sillon rouge :

— ... mort étranglé.

IV

L'AVENIR DÉVOILÉ

Edmée se leva plus tard que de coutume, ce matin-là. Son sommeil avait été peuplé de cauchemars particulièrement effrayants et elle n'était pas sûre de n'avoir pas crié sous l'étreinte d'agresseurs invisibles. Lorsqu'elle eut pris son petit déjeuner, elle s'habilla pour la promenade. Ce n'est pas parce qu'un homme avait été tué pendant la nuit qu'elle changerait rien à ses habitudes.

Lorsque le temps était beau, la jeune fille aimait lire en marchant, le long du canal, ou aller rêver dans l'ombre du vieux château comtal de Male qui s'élève entre Sainte-Croix et Sijsseele et où naquit, en 1330, Louis de Male, vingt-quatrième comte de Flandre. Le passé, en effet, la séduisait presque autant que l'avenir; seul, le présent lui était insupportable...

Ce jour-là encore, elle décida d'aller rôder autour du vieux château mais, comme elle s'engageait sur la route, elle aperçut, rangées le long du fossé, deux roulottes de Bohémiens. Du toit de l'une, s'échappait un mince filet de fumée qui montait droit vers le ciel gris. Devant la première, on apercevait les vestiges d'un feu qui avait été allumé sur la route. Les portes des voitures étaient closes, au contraire des fenêtres sur les appuis desquelles séchait du linge multicolore. Un cheval caduc sinon famélique errait dans une prairie proche.

La jeune fille ralentit le pas, s'arrêta. Les campements de nomades l'avaient toujours attirée. Ce n'était pas pour rien qu'on l'appelait, lorsqu'elle était enfant, « petite Bohémienne ». Elle enviait leur vie d'aventures, leur sommeil à l'ombre des forêts, leurs pérégrinations sans fin et aussi leur pouvoir de lire dans les lignes de la main et dans le marc de café. Elle eût aimé porter de grands anneaux d'or à ses oreilles et adopter le costume des femmes dont elle admirait l'ardente et naturelle beauté. Souvent, devant son miroir, elle s'était imaginée parée d'un étroit corsage de soie, moulant exactement son buste, et de jupes aux mille plis qu'elle ferait danser autour d'elle en marchant. Elle dénouerait ses cheveux qui crouleraient sur sa nuque, elle tiendrait, dans ses mains frêles, le fil de toutes les destinées...

Irrésistiblement attirée, elle avait fait un pas en avant. A ce moment, la porte de la première roulotte s'ouvrit et un grand jeune homme, d'un bond souple, sauta sur la route.

— Au revoir! cria-t-il, tourné vers l'intérieur de la roulotte.

Puis il fit un pas en avant et s'arrêta, comme troublé par un spectacle inattendu.

Il parut hésiter, un instant, puis marcha délibérément vers Edmée. A trois pas d'elle, il s'inclina en ôtant son chapeau, un feutre élégamment cabossé.

— Excusez-moi, mademoiselle, dit-il. J'agis sous l'impulsion d'un sentiment spontané et le temps me manque pour trouver une formule plus ou moins spirituelle qui nous permettrait de lier connaissance... Verriez-vous quelque inconvénient à ce que nous nous promenions un instant ensemble?

Edmée, au moment où le jeune homme venait à elle, avait rougi et détourné la tête.

Elle répondit :

— On m'a toujours enseigné qu'il n'était pas convenable, pour une jeune fille comme moi, de se laisser aborder par un jeune homme...

— Ma foi, répondit l'inconnu avec bonne humeur, je pense qu'il n'est guère convenable non plus, de la part d'un jeune homme comme moi, d'aborder une jeune fille... Résignons-nous pour quelques instants, voulez-vous? à n'être convenables ni l'un ni l'autre.

Il ajouta :

– Je crois sincèrement que vous jouerez un grand rôle dans ma vie... Vous alliez du côté du château, n'est-ce pas? Moi aussi...

– Mais... fit Edmée.

– Vous ne vous voyez pas marchant sur un des bas-côtés de la route et moi sur l'autre, non?... il me reste à me présenter : Hubert Pellerian.

– Je suis la fille du Dr Hye, dit Edmée avec simplicité. C'est... C'est la première fois que je vous vois au village...

– Je suis arrivé hier, expliqua le jeune homme. Je suis hébergé par ma tante : Mme Prégaux. La connaissez-vous?

– Oui, dit la jeune fille. Tout le monde se connaît plus ou moins ici... Ainsi, vous êtes le cousin de Berthilde et d'Yvonne? Je vous avais d'abord pris pour un Bohémien, un Bohémien « monté en graine », s'entend... Vous êtes brun comme eux.

Hubert Pellerian sourit.

– Je pourrais vous retourner le compliment, dit-il, si compliment il y a! Je vous vois très bien dansant avec des sequins d'or dans les cheveux. En ce qui me concerne, ce sont les voyages qui m'ont tanné le teint... Si je vous avais rencontrée plus tôt, sans doute n'aurais-je pas voyagé.

– Pourquoi? fit Edmée.

– Tout homme qui s'en va très loin dans le monde, répondit le jeune homme, est poussé, qu'il le sache ou non, par la recherche de l'impossible. Et qu'est-ce, cet impossible, sinon un amour absolu? Je vous le répète, si je vous avais rencontrée plus tôt, je n'aurais pas voyagé...

– Vraiment! s'écria la jeune fille avec un petit rire de pure convenance. Je ne comprends pas très bien.

– Vous allez comprendre..., fit Hubert Pellerian. Avez-vous quelque estime pour les diseurs de bonne aventure?

– Certes! dit Edmée avec chaleur. Je consulte moi-même régulièrement les cartes. Et hier, justement, avant que l'on fût venu réclamer l'assistance de mon père, elles m'avaient appris qu'il y avait eu un meurtre au village...

– Ah! oui, fit le jeune homme avec négligence. Un commis voyageur trouvé étranglé dans la Grand-Rue, je crois?

Il eut un petit rire sec :

– C'est moi, l'assassin.

– Vous tombez mal, repartit la jeune fille, entrant dans le jeu. C'est moi!

Il rit de nouveau, doucement cette fois, et reprit :

– Quand vous m'avez vu sortir de la roulotte, je venais de consulter Guido sur ma destinée. Or, la destinée d'un homme, c'est toujours une femme. Ce vieux fripon l'a bien compris qui m'a dit que celle que j'aimerais serait petite, noire de cheveux et brune de peau... Excusez-moi, mademoiselle, mais j'ai d'abord cru qu'il voulait caser une de ses filles, la cadette. Lorsque je vous ai aperçue, j'ai compris mon erreur...

Pour la seconde fois, ce jour-là, Edmée se sentit rougir.

– Vous savez, dit-elle, je ne comprends toujours pas!

– Diable! fit Hubert Pellerian. Vous compliquez étrangement les choses... Guido m'a dit également que je rencontrerais cette femme dans un avenir prochain... Toutefois, je ne croyais pas que cela se produirait aussi vite...

Edmée s'arrêta.

– Il me faut maintenant vous dire adieu, fit-elle. Je retourne au village.

– Mais moi aussi, s'écria Pellerian. Quel heureux hasard!

– Pardon, dit la jeune fille. Je croyais que vous alliez de ce côté?...

– Parfaitement. Parce que vous y alliez vous-même. A la vérité, je me disposais, lorsque je vous ai rencontrée, à tourner le dos au château.

– Je pense, dit Edmée, que vous êtes un affreux suborneur. Je ne suis pas absolument certaine de la signification de ce mot, je consulterai le Larousse en rentrant... Mais je crois vraiment que suborneur n'est pas exagéré.

– Retirez : « affreux », pria Hubert. Et... Et savez-vous quoi? Arrêtez-vous, en passant, à la roulotte du vieux Guido. Consultez cet oracle. Si la destinée d'un homme, c'est une femme, la destinée d'une femme, c'est quelquefois un homme...

– Pourquoi dites-vous : quelquefois?

– Eh bien, parce que, les autres fois, c'est plusieurs hommes...

– C'est honteux! protesta la jeune fille. Parlez-vous sérieusement?

– Hélas! oui.

– Quelles femmes avez-vous donc connues?

– Aucune qui vous ressemblât, je m'empresse de le reconnaître.

– Dois-je dire merci?

– Ce n'est pas indispensable.

Ils marchèrent un instant en silence. Puis Edmée interrogea :

– Qui est Guido? Vous en parlez comme... excusez-moi... comme d'un vieux copain.

– Je l'ai rencontré maintes fois, expliqua Pellerian. A Florence, Gênes, et même ailleurs qu'en Italie. Lui aussi a beaucoup voyagé. Chose étrange, chaque fois que nous nous sommes retrouvés, je doutais de moi et de l'avenir. Sans doute, lui dois-je de n'avoir pas versé dans l'hypocondrie?

Tout en devisant, ils étaient arrivés devant la roulotte.

– Y entrez-vous? fit Pellerian.

– Certainement : je mourais déjà d'envie d'y aller lorsque je vous ai rencontré.

– Voulez-vous me permettre de vous servir de... chaperon?

La jeune fille secoua la tête :

– Je crains que vous n'ayez pas les qualités requises... De toute façon, je préfère entrer seule.

– Dans ce cas, je vous attendrai ici.

Allégrement, Edmée gravit les trois marches de bois qui menaient à la porte de la roulotte. Elle frappa, un petit homme maigre, au teint de pain d'épices et aux admirables yeux noirs, vêtu d'un vieux pantalon et d'une blouse blanche sur laquelle tranchait un foulard rouge, lui ouvrit : c'était Guido.

Il eut un petit mouvement de surprise en apercevant la jeune fille et, derrière elle, Hubert Pellerian. Puis il sourit de toutes ses dents qu'il avait très belles.

– Qu'y a-t-il donc pour votre service, ma petite demoiselle? fit-il d'un ton chantant.

En même temps, il échangeait un bref coup d'œil avec Hubert Pellerian. Un coup d'œil qui semblait signifier : « Eh bien, que vous avais-je dit? Vous voyez bien que vous l'avez déjà rencontrée!... »

– Je voudrais, murmura la fille du Dr Hye, que vous me dévoiliez l'avenir... on vous dit expert en cette matière.

Le vieux Guido – au fait, était-il si vieux? – s'inclina :

– Vous êtes trop bonne, belle demoiselle. Mille fois trop bonne! Entrez! Entrez!... Monsieur tient peut-être à entrer aussi?...

– Non, dit Edmée avec énergie. Monsieur restera là.

Et, derrière le Bohémien, elle pénétra dans la roulotte.

Quand la porte se fut refermée sur eux, Hubert Pellerian alluma une cigarette. Quelle étrange aventure! Il venait à Sainte-Croix pour épouser sa cousine Berthilde, et voilà qu'il rencontrait cette jeune fille...

« Elle est délicieuse, songea-t-il. Je me demande si elle a de la fortune?... »

Il resta pensif un long moment, puis jeta sa cigarette :

« Au fait, le meilleur moyen de le savoir, c'est encore de lui en parler... Ma petite Berthilde, votre rêve de jeune fille est bien compromis. »

Quelques instants plus tard, Edmée sortit de la roulotte. Guido la suivait en l'accablant de force démonstrations de respect et de gratitude.

– Eh bien? dit Hubert Pellerian quand ils eurent fait quelques pas. Etes-vous satisfaite?

– Ou bien, répondit la jeune fille, votre Guido tient le même boniment à tous ses clients, ou bien c'est une conspiration... Il m'a dit que, si je ne l'avais pas déjà rencontré, je rencontrerais prochainement l'homme que j'aimerais... Probablement aujourd'hui même.

Le jeune homme se mit à rire :

– Nous voilà enchaînés l'un à l'autre, ne pensez-vous pas? Il est peu probable que...

Mais Edmée l'interrompit :

– Excusez-moi. Il faut que je vous quitte. Je n'aimerais pas que ce monsieur qui vient à nous, tête baissée, me vît en votre compagnie... Au revoir.

Et elle lui tendit vivement la main.

Décontenancé, Hubert Pellerian prit mollement cette main dans la sienne.

– Mais..., dit-il. Quand vous reverrai-je? Ne voulez-vous pas m'accorder un... un rendez-vous?

– Non, fit la jeune fille. Sauvez-vous vite.

Et elle-même s'écarta vivement de son compagnon. Toutefois, elle le vit si penaud qu'elle ajouta avec un sourire :

– Consolez-vous : Sainte-Croix n'est pas grand et... et je m'y promène chaque matin!

Puis, tournant délibérément le dos à Hubert, elle s'avança à la rencontre du nouveau venu.

Celui-ci marchait les mains derrière le dos et le regard rivé au sol. Il portait un chapeau de feutre noir, un pardessus noir et des souliers d'un jaune attendrissant.

— Monsieur Mascaret! dit la jeune fille.

Instituteur à Sainte-Croix, M. Mascaret avait, trois ans plus tôt, tenté d'initier la jeune Edmée, une année durant, aux beautés de la littérature française et des littératures étrangères. On ne pourrait affirmer, sans exagérer, que ses efforts avaient été couronnés de succès.

C'était un grand jeune homme, gauche dans ses gestes et dans ses paroles. Il ne paraissait attacher d'importance à rien, ce qui est déplorable de la part d'un éducateur. Derrière ses lunettes d'écaille, ses doux yeux de myope semblaient toujours considérer des spectacles invisibles au commun des mortels. Toutefois, un curieux don d'enfance lui gagnait, sans qu'il y prît la moindre peine, le cœur de tous ses élèves. Le respect empruntait, chez ces petits diables, la forme d'une admiration irraisonnée.

— Monsieur Mascaret! répéta Edmée.

Monsieur Mascaret sursauta et releva la tête, démasquant ainsi une cravate verte.

— Arrêtez-vous, de grâce! dit la jeune fille. Vous n'avez jamais mieux mérité votre nom. Encore un peu, vous me renversiez. Où courez-vous comme ça?... Et ne répondrez-vous jamais au premier appel de votre nom?

— Bonjour, Edmée, dit le jeune homme.

Après avoir réfléchi, il ajouta :

— Comment allez-vous?

Devant tant de maladresse, la jeune fille sentit sa belle assurance s'en aller. Avec un enjouement un peu forcé, elle répliqua :

– Mais bien. Très bien... et vous, mon cher professeur, m'aimez-vous toujours en secret?

– Voyons, Edmée! protesta M. Mascaret. Ne serez-vous jamais sérieuse?

– Ce n'est pas nécessaire... du moins, lorsque je suis avec vous. Vous l'êtes pour deux. Ne voulez-vous pas me dire à quoi vous réfléchissiez si profondément, il y a un instant, lorsque, arrivant sur moi comme un bolide aveugle, vous avez manqué provoquer un accident de personne?

A ce moment, Hubert Pellerian, qui ne s'était pas éloigné, commit une petite lâcheté. Il revint sur le couple, ôta son chapeau et, avec le plus engageant des sourires :

– Bonjour, mademoiselle... Quel heureux hasard et que je suis donc content de vous rencontrer!

Devant tant de machiavélisme, les bras tombèrent à Edmée. Les présentations faites, elle se laissa entraîner sans résistance jusqu'au coin de la rue. Mais là, comme le jeune homme murmurait : « Excusez-moi : je ne pouvais me résoudre à vous quitter comme cela... », elle retrouva sa facilité d'élocution et les premiers mots qui sortirent de sa bouche n'étaient pas précisément l'expression même de la tendresse...

Le professeur Mascaret, lui, après avoir fait quelques pas, se retourna. Il s'arrêta au bord du chemin.

La fille du Dr Hye et son compagnon s'éloignaient. Le professeur les suivit des yeux jusqu'à ce qu'ils eussent disparu.

Après être demeuré immobile quelques instants encore, il reprit sa route.

Il marchait plus lentement, maintenant, et, au fond de ses poches, ses poings étaient si furieusement crispés que ses ongles entraient dans ses paumes.

V

UN CIERGE AU DIABLE

D'un doigt furtif, M. le curé Rochus écarta le rideau de serge verte du confessionnal et jeta un coup d'œil dans l'église envahie par les ombres du soir...

Sur des chaises proches, deux femmes en prières étaient agenouillées. Le curé reconnut Mme Wyers, la femme du boucher, et Louise Bosquet, la servante de Mme Petyt-Havet. Derrière elles entre les larges piliers ronds, dans l'ombre bleue des nefs latérales, dansaient, comme des feux-follets, les lueurs tremblotantes des bougies aux flammes tour à tour couchées et redressées par le vent d'hiver pénétrant par le porche mal clos.

M. le curé Rochus frissonna dans sa mince soutane et rapprocha son visage du grillage de bois au travers duquel lui parvenait le débit monotone de la veuve du quincaillier. Modeste pécheresse que celle-là. Comme les deux autres, du reste, qui attendaient leur tour. Une fois de plus, le curé se réjouit bonnement des vertus de ses ouailles... Et puis une idée le traversa qui lui fit mal : le rappel du meurtre commis dans le village, pendant la nuit...

Il la chassa bien vite de son esprit, comme une tentation, et, lorsqu'il fit à la veuve du quincaillier, au nom de son divin maître, la rémission de ses péchés, nulle pensée profane ne le distrayait plus de la rigoureuse application de son sacerdoce.

Une jupe frôla le bois du confessionnal et, à son tour, Mme Wyers prononça des paroles de contrition. Le curé l'écoutait en dodelinant de la tête, les yeux mi-clos.

« Sans doute, se dit-il, c'est une brebis égarée qui n'habite pas parmi nous... »

Il pensait à l'inconnu qui, à la faveur de la nuit, avait étranglé le malheureux commis voyageur.

Et pourquoi, je vous le demande? Poussé par quelles forces mauvaises? Obéissant à quel obscur, à quel inavouable motif?...

Tout de suite, en apprenant le crime, le curé avait imaginé une lamentable histoire d'homme réduit à la plus sordide misère, dont la femme, malade, était sur le point de trépasser, faute de médicaments qui coûtent cher, dont les enfants réclamaient du pain à grands cris. Ces images romantiques, si elles n'excusaient pas le meurtrier, auraient tout au moins permis de comprendre son acte... Mais on n'avait rien volé à la victime. Ce forfait paraissait être, en vérité, l'œuvre de Satan lui-même!

M. le curé Rochus fit le signe de la croix, autant pour conjurer les influences démoniaques que pour convaincre la bonne Mme Wyers de l'indulgente attention qu'il apportait à écouter le récit de ses menus manquements et omissions. Il y eut un chuchotement dans l'ombre, puis, cédant sa place à Louise Bosquet, la femme du boucher alla s'agenouiller à l'écart et, mains jointes, front baissé, se mit en devoir de réciter les trois *Pater* et les trois *Ave*, prix de ses péchés.

Un son grave tomba du clocher, qui rida le silence comme une pierre ride la surface d'une eau dormante...

Le curé pensa que, maintenant, la nuit avait enveloppé le village tout entier. Les lampes étaient allumées, les portes closes. Les jardins avaient retrouvé leur mystère, les étoiles montaient au ciel et les petits enfants dormaient déjà... Combien d'entre eux rêveraient d'hommes au visage effrayant se glissant le long des murs comme des bêtes sournoises?

Dans un instant, M. le curé Rochus donnerait l'absolution à sa pénitente. Puis, comme chaque soir, il ferait le tour de son église, veillerait lui-même à la fermeture des portes. Par la sacristie, il s'engagerait dans le petit sentier qui, entre les tombes de l'étroit cimetière situé derrière l'église, conduisait à la cure. Là, assis dans son fauteuil, près du poêle, il souperait en compagnie de sa bonne Estelle, vieille fille acariâtre et dévouée qui le servait depuis vingt ans et n'avait de commun avec la fille du roi de Saintes, vierge et martyre, que le prénom. Il lirait son bréviaire en dégustant son café et en fumant une pipe. A 10 heures, comme chaque jour, il irait jeter un coup d'œil à son poulailler, s'attarderait un instant à consulter le ciel nocturne, puis rentrerait dans la salle à manger, les plis de sa soutane pleins de froid, pour prononcer la prière du soir. Enfin, les marches bien cirées de l'escalier crieraient sous son poids, il pénétrerait dans sa chambre, lampe au poing, et, quelques instants plus tard, remerciant en son cœur fidèle le Seigneur pour les joies et les peines de la journée, il se glisserait dans son lit haut, aux draps bassinés par la vieille Estelle...

Tant de quotidienne sérénité!... Se pouvait-il que, aux mêmes heures, une créature de Dieu rôdât dans les rues vides, pleines d'un retentissant silence, et poursuivît ses semblables de sa haine?

M. le curé Rochus perçut une toux discrète et, encore une fois, se gourmanda pour sa distraction. Il murmura les paroles rituelles, fit une nouvelle distribution de *Pater* et d'*Ave*, puis, après une ultime minute de recueillement, sortit du confessionnal.

Louise Bosquet, de son pas claudicant, regagnait sa chaise. Elle s'arrêta et salua le prêtre d'une petite inclinaison de tête.

— Bonsoir, monsieur le curé, dit-elle.

— Bonsoir, Louise, répondit l'ecclésiastique.

Il s'approcha de la jeune fille :

— Comment va votre protectrice? Elle vient, de même que vous, mon enfant, de passer de bien durs moments...

– Elle a eu très peur, répondit Louise Bosquet avec tranquillité. Moi pas.

Le curé hocha la tête :

– J'admire votre courage. Mais il ne faudrait pas le pousser jusqu'à la témérité. Après ce qui vient de se passer, Mme Petyt-Havet va-t-elle continuer à vivre seule avec vous? Si j'avais un conseil à lui donner...

Louise Bosquet haussa les épaules.

– Les portes fermées, dit-elle, il n'y a pas grand danger. Mais Mme Petyt-Havet est sans doute de votre avis. Elle a demandé à Mme Mol de venir dormir auprès d'elle pendant quelque temps.

– Elle a bien fait! assura le prêtre avec force. Tant que l'on n'aura pas arrêté cet homme qui... que...

Il laissa sa phrase inachevée : les mots ne passaient pas.

– A propos, Louise, dit-il, j'ai une belle image pour vous... Les aimez-vous toujours?

Il fouillait son bréviaire.

La petite servante joignit ses maigres mains :

– Oh! monsieur le curé!

– Tenez, la voici. C'est une image de la Vierge...

Il avait mis ses besicles. Il lut à mi-voix :

– *Vierge sainte, au milieu de vos jours glorieux, n'oubliez pas les tristesses de la terre. Jetez un regard de bonté sur ceux qui sont dans la souffrance, qui luttent contre les difficultés et qui... Attendez... et qui...* Ah! il faudra que j'y renonce! Je n'ai plus d'assez bons yeux pour déchiffrer un aussi petit texte dans une telle pénombre... Vous le lirez, ce soir, dans votre chambre.

– Merci, monsieur le curé, dit Louise. J'en aurai grand soin, comme j'ai soin de toutes les autres.

Elle glissa l'image pieuse dans son missel et ajouta d'une voix différente :

– Mme Petyt-Havet et moi avons été interrogées, cet après-midi, par le juge d'instruction.

– Ah! fit le prêtre. Et... Et qu'a-t-il dit?

– Il nous a posé des questions et des questions... Il...
Il a demandé à qui Mme Petyt-Havet vendait des
lacets.

– Des lacets! s'étonna le curé. Ne restez pas là,
mon enfant. Venez avec moi. Il me faut fermer les
portes de l'église. Vous réciterez votre pénitence chez
vous, avec les prières du soir... Mais qu'est-ce que ces
lacets...?

– Il paraît, répondit Louise, que ce M. Viroux a été
étranglé avec un lacet.

– Dieu de miséricorde! s'écria le prêtre.

Il avait interrompu sa marche et jetait autour de lui
des regards indignés, comme pour prendre à témoin
toutes les choses sacrées qui l'entouraient de l'horreur
de l'acte qui avait été commis.

Soudain, il posa sa grosse main sur le bras de la
petite servante.

– Décidément, dit-il, je crois que ma vue baisse...
Combien voyez-vous de lumières à l'autel, mon
enfant? Six ou bien...?

– J'en vois cinq, répondit Louise.

Elle ajouta :

– Trois à gauche et deux à droite.

– Cinq! s'écria le curé. Cinq!...

Un frisson courut le long de son échine.

– Mais alors...?

La fierté et la gloire de M. le curé Rochus, c'était
son église. Quand il en parlait, il n'oubliait jamais de
rappeler que les chanoines de Saint-Donat en avaient
possédé le patronat et y avaient prélevé la majeure
partie des dîmes. Il en décrivait également les beautés
avec chaleur, son chemin de croix, ses statues, ses
sculptures, les miséricordes de ses stalles, la richesse de
l'autel. Les mains du prêtre tremblaient toujours un
peu en élevant le ciboire d'or, en disposant, autour du
tabernacle, les six chandeliers de vieil argent. Et voilà
qu'il n'en voyait plus que cinq, que Louise Bosquet,
comme lui, n'en voyait plus que cinq...

Il répéta :

– Mais alors...?

Etait-ce donc... Etait-ce donc qu'une main sacrilège avait volé l'un de ces six chandeliers? Une main sacrilège?... L'une de celles, peut-être, qui, la nuit dernière, s'étaient nouées en une étreinte mortelle autour de la gorge d'Aristide Viroux?...

Avec une rauque exclamation, M. le curé Rochus courut vers l'autel. A ses côtés, Louise se hâtait.

Il haleta :

– Peut-être que c'est...

Il n'acheva pas mais, sans doute, la petite servante avait-elle compris les craintes qu'il n'osait formuler?

Elle murmura :

– Dans le village, monsieur le curé, ils disent que c'est Antoine Labar qui a fait le coup...

Le prêtre et sa compagne atteignaient le chœur.

– Labar, le tailleur, un assassin! se récria le prêtre.

Et, soudain, il s'arrêta, chancela.

– Là!... Là!... râla-t-il, l'index tendu.

Louise Bosquet regarda et poussa un cri...

A leur droite, le chandelier d'argent, ôté de l'autel, était posé sur le siège d'une stalle. Abritée du vent, la flamme de la bougie montait, claire et droite. Elle éclairait un aspect des sculptures dont M. le curé Rochus était si fier et, particulièrement, le masque grimaçant d'un démon.

Le prêtre se signa. Il était livide.

– Mon Dieu! Mon Dieu! balbutia-t-il.

La sueur perlait sur son front :

– Louise, il y a, dans ce village, quelqu'un qui vénère le diable!...

VI

LE SECRET DE POLICHINELLE

– Bonsoir, monsieur Verspreet, dit le juge d'instruction Héraly en se levant, la main tendue. Enchanté de faire votre connaissance... Je ne vous présente pas, n'est-ce pas? ajouta-t-il en se tournant vers M. Binet, le bourgmestre.

– Hé non! répliqua celui-ci de sa grosse voix. Verspreet et moi sommes de vieux amis... Pas vrai, Verspreet?

– Certainement, monsieur Binet, répliqua le vétérinaire.

M. Hanon, le substitut du procureur du roi, s'avança à son tour. C'était un grand homme maigre, élégamment vêtu.

Les présentations terminées, M. Héraly se rassit derrière le bureau et M. Binet, près de la fenêtre. M. Hanon retourna considérer le jeu des flammes dans la cheminée et M. Verspreet s'installa face au juge d'instruction. Pendant cette courte scène, M. De Mil, le greffier, n'avait pas levé le nez du papier qu'il couvrait de caractères appliqués.

M. Héraly ne paraissait pas avoir dépassé la trentaine. Il avait un profil et des cheveux très blonds.

D'un geste négligent, il tira une pochette de soie de la poche supérieure de son veston bien coupé et, en essuyant soigneusement ses lorgnons :

– Monsieur Verspreet, vous vous doutez certainement du motif qui m'a fait vous convoquer. Vous connaissiez très bien M. Aristide Viroux, d'après ce que m'a dit M. Binet.

Le vétérinaire s'agita sur sa chaise :

– Oh! très bien! Connaît-on très bien un homme avec qui l'on a joué quelques parties de cartes? Je ne le pense pas.

– Vous êtes, dans tous les cas, parmi les habitants de Sainte-Croix, celui qui entretenait avec lui les rapports les plus suivis et les plus réguliers?

M. Verspreet secoua la tête :

– Mais non... M. Wyers et M. Gyther, pour ne citer que ceux-là, le connaissaient certainement aussi bien que moi.

– Je les interrogerai demain, fit M. Héraly. Si je me suis décidé à faire appel à vous en premier lieu, monsieur Verspreet, c'est que j'avais le désir de vous entendre confirmer certains propos tenus par Antoine Labar, le tailleur, et que vient de me rapporter M. le bourgmestre. Serait-il vrai qu'un soir, voici trois semaines environ, Labar aurait proféré des menaces à l'endroit d'Aristide Viroux? Des menaces de mort?...

– C'est parfaitement exact, reconnut le vétérinaire, Aristide Viroux avait quitté Sainte-Croix, la veille, après y avoir séjourné une semaine. Il était passé minuit. Une partie de bridge nous avait réunis, au Cheval-Blanc, MM. Binet, Labar, Dykmans, le boulanger, et moi-même. Dykmans venait de nous quitter pour aller surveiller ses fours. Nous restions donc trois dans le café – quatre en comptant M. Lepomme, derrière son comptoir... C'est alors que Labar proféra ces menaces.

– Qu'est-ce que je vous disais? renchérit M. Binet. Labar haïssait Viroux. Tout le monde, dans le village, l'accuse d'être l'auteur du meurtre...

– Dites-moi, monsieur Verspreet, fit M. Héraly, pourriez-vous me répéter les propos tenus par Antoine Labar?

– Non, répliqua le vétérinaire. Je me souviens seulement qu'il a dit, en parlant de Viroux : « Si je le vois encore rôder autour de la maison, je l'abats comme un chien... »

– Vraiment? fit le juge d'instruction.

Il répéta d'un ton pensif :

– « Je l'abats comme un chien »... Viroux courtisait la femme de ce Labar, n'est-ce pas?

– Oui, répondit M. Verspreet. Il s'en cachait à peine. Les amours d'Aristide Viroux et de la belle Julie étaient le secret de Polichinelle. La plupart d'entre nous prétendaient que cela finirait mal. Mais ce sont là, naturellement, propos qu'on tient facilement, et nous n'aurions pas cru...

M. Héraly sourit et se leva.

– Fort bien, monsieur Verspreet! dit-il. Je vous remercie des renseignements que vous venez de nous fournir. Ils corroborent en tous points ceux que nous a donnés M. le bourgmestre... Une dernière question : la victime n'avait pas, dans ce village, d'autre ennemi que le marchand-tailleur?

M. Héraly sourit et se leva.

– Pas que je sache, répondit le vétérinaire en se levant à son tour.

Quand il eut serré la main aux personnes présentes, le juge d'instruction le reconduisit lui-même jusqu'à la porte. En retournant s'asseoir à son bureau, M. Héraly consulta son bracelet-montre.

– Labar sera ici dans quelques instants, dit-il.

M. Hanon, le substitut du procureur du roi, intervint :

– Avez-vous également convoqué sa femme?

– Naturellement.

Il y eut un silence, puis M. Hanon reprit :

– Cette affaire paraît assez claire, n'est-ce pas?

– Oui, assez...., répliqua M. Héraly qui n'aimait pas se compromettre.

En compagnie de M. Hanon, de M. De Mil, le greffier, d'un médecin légiste et des photographes du Parquet, il était arrivé à Sainte-Croix vers midi.

Le bourgmestre les avait aussitôt conduits à la maison communale, les engageant à établir leur quartier général dans son propre bureau. M. Héraly pensait avec satisfaction qu'il n'avait guère perdu de temps. Plusieurs personnes avaient défilé devant lui et, notamment, la mercière et sa servante, qui avaient découvert le corps et qu'il avait longuement interrogées. Mais c'était M. Binet, en fin de compte, qui avait éclairci la situation en prononçant le premier le nom d'Antoine Labar. Il ne s'y était pas décidé tout de suite car il lui répugnait de porter une accusation contre l'un de ses administrés. Quant au Dr Hye, il avait répondu de mauvaise grâce à toutes les questions, chicanant le médecin légiste à propos de la minute précise à laquelle le crime avait dû être commis.

M. Binet toussa.

— Et que pensez-vous, interrogea-t-il, du voisinage de ces Bohémiens? Ils se sont installés hier à l'entrée du village, quelques heures, en somme, avant le crime...

— Je m'en occuperai demain, répondit M. Héraly. Ont-ils payé patente ou obtenu quelque autorisation de s'arrêter à Sainte-Croix?

— Je le demanderai à Dermul, mon secrétaire, fit M. Binet.

A ce moment, M. Hanon traversa la pièce. Il avait endossé son pardessus, il tenait son chapeau à la main.

— Mon cher, dit-il, en s'adressant au juge d'instruction, je vous laisse le soin de conduire l'interrogatoire d'Antoine Labar. Pour ma part, je vais aller prendre l'air pendant une demi-heure...

M. Binet toussa derechef.

— Les distractions manquent à Sainte-Croix, murmura-t-il. Je crois également de mon devoir de vous prévenir que la fille du propriétaire de l'hôtel de la Gare, où vous êtes descendus, déchaîne, chaque soir, un ouragan sur le clavier de son piano, de 8 heures à 10 heures... Vous plairait-il, messieurs, de jouer un bridge, tout à l'heure, au Cheval-Blanc, avec moi et l'un de mes amis?

M. Hanon, sur le seuil de la porte, sourit.

— Je me suis déjà aperçu, dit-il, que tout, à Sainte-

Croix, finit par un bridge. Je vous remercie de votre proposition, monsieur le bourgmestre, mais je la décline, tout au moins pour aujourd'hui. Je défie n'importe quelle pianiste de troubler, par son jeu plus ou moins désordonné, le sommeil dans lequel je sombrerai tout à l'heure... Demain, si l'assassin d'Aristide Viroux n'est pas encore arrêté et si vous avez toujours le désir de jouer avec nous, si quelque télégramme, enfin, ou quelque coup de téléphone ne me rappelle pas à Bruges, nous en reparlerons... A tantôt, messieurs.

M. Hanon sorti, le juge d'instruction se prit la tête dans les mains, récapitulant mentalement ce qu'il avait appris pendant la journée...

Aristide Viroux ne paraissait pas avoir, à Sainte-Croix, d'autre ennemi qu'Antoine Labar. Il avait été étranglé vers 11 heures du soir, à l'aide d'un lacet, acheté sans doute chez Mme Petyt-Havet. On ne lui avait rien volé – soit que l'assassin n'ait pas eu le temps de dépouiller sa victime, soit qu'il n'eût pas l'intention de le faire.

– Monsieur le bourgmestre, fit M. Héraly en relevant la tête, Labar, d'une minute à l'autre, va entrer dans ce bureau. J'aimerais, auparavant, vous entendre formuler une opinion sur son compte.

– Ma foi, répondit M. Binet, il me déplaît de dire que c'est un homme antipathique. Mais puisque vous me le demandez...

– Le croyez-vous capable d'avoir commis ce meurtre?

– Vous me mettez dans une situation difficile, répliqua le bourgmestre. Tout ce que je puis vous dire, c'est que c'est un bilieux, un violent. Je l'ai vu s'emporter maintes fois pour des vétilles et je comprends, naturellement, que sa femme ait porté une oreille complaisante aux déclarations enflammées de Viroux. Elle aurait sans doute pu faire meilleur choix mais, des goûts et des couleurs...

– Jolie, Mme Labar?

– Vous en jugerez. Coquette, d'ailleurs. Très capable de rendre fou de jalousie un type mieux équilibré que son époux. La lamentable histoire des couples mal assortis... On dit que Labar a été jusqu'à enfermer sa femme des journées entières. Je crois qu'elle le déteste.

– Et lui, bien entendu, il l'aime avec passion?

– Bien entendu.

A ce moment on frappa à la porte et un agent pénétra dans le bureau.

– Monsieur le juge, dit-il, l'homme est là... Faut-il le faire entrer?

L'homme était là, en effet, dans le couloir. Certain de n'être pas observé, il s'était appuyé au mur. Il était très pâle et il rajusta sa cravate avec des mains qui tremblaient, de grosses mains aux doigts en spatules et sur le dos desquelles le réseau bleu des veines saillait.

– Et Mme Labar, demanda M. Héraly au policier, l'avez-vous amenée aussi?

L'agent secoua la tête.

– Non, répondit-il. Il paraît qu'elle est malade.

VII

LE SOMMEIL DE JULIE LABAR

Antoine Labar entra en tournant son chapeau entre ses doigts. Son complet à carreaux, de teinte neutre, qui n'était pas une réclame pour sa maison, était rehaussé d'une cravate lie de vin dont le nœud lâche ne cachait qu'imparfaitement le bouton de col. Le teint de l'homme en paraissait plus jaune et son torse plus étriqué.

Il salua le juge d'instruction et le bourgmestre d'une

légère inclinaison de tête et s'assit au bord de la chaise qu'on lui avait avancée.

– Je suppose, monsieur, fit M. Héraly d'un ton affable, que vous n'ignorez pas la raison pour laquelle vous êtes ici?

Antoine Labar jeta à son interlocuteur un regard en dessous.

– C'est-à-dire..., commença-t-il lentement.

Mais le juge d'instruction, partisan des attaques brusquées, l'interrompit :

– Aristide Viroux, le commis voyageur, a été étranglé, cette nuit, dans la Grand-Rue, vous le savez. La rumeur publique vous désigne comme l'auteur du crime... Qu'avez-vous à répondre?

Si M. Héraly avait prévu un éclat, il fut déçu.

Le marchand-tailleur parla d'un ton placide.

– On dit tant de choses! répliqua-t-il. Le monde est si méchant... Je ne vous cacherai pas que je n'aimais pas ce Viroux et que je me suis déjà répandu en menaces sur son compte, mais de là à lui faire passer le goût du pain...

– On m'a assuré que la victime courtisait votre femme. Est-ce vrai?

– Mon Dieu, répondit Labar du même ton égal, il était aimable avec elle. Peut-être lui contait-il fleurette? Les maris, d'ordinaire, ne sont pas les premiers informés de ces choses-là... Je crois, pour ma part, que Viroux se montrait galant avec toutes les femmes. Si sa conduite m'avait réellement porté ombrage, quoi de plus facile, je vous le demande, que de le mettre à la porte de chez moi et que de renoncer à lui acheter sa camelote?

– Précisément, fit M. Héraly, en se renversant sur le dossier de son siège, il paraît que c'est ce à quoi vous vous êtes résolu...

Il ajouta :

– Mais cela n'aurait pas empêché Viroux – toujours d'après ce que l'on dit dans le village – de continuer à rôder autour de chez vous et de rencontrer votre femme en secret?

Ce fut d'une voix légèrement tremblante, cette fois, qu'Antoine Labar répondit :

– Des calomnies, monsieur le juge! De vulgaires calomnies! Le monde est si méchant, je viens de vous le dire. Mon commerce est prospère, ma femme jolie... En faut-il beaucoup plus pour délier les mauvaises langues?

– Vous ne répondez pas à ma question, fit tranquillement le magistrat. Avez-vous mis Viroux à la porte de chez vous?

Le regard de Labar se déroba.

– Je lui ai simplement, répondit-il, retiré ma clientèle.

– Autre chose... Vous auriez déclaré, un soir, devant témoins, que vous l'abattriez comme un chien – ce sont là, je crois, vos propres termes – s'il continuait à faire la cour à votre femme?

Le marchand-tailleur haussa les épaules.

– Ma foi, dit-il, ce sont là des écarts de langage auxquels on se laisse aller facilement lorsqu'on a bu un coup de trop... Et puis, j'étais las des plaisanteries grossières dont on m'accablait, des sourires égrillards qui m'accueillaient partout... Je suis libre de faire ce qui me plaît chez moi, je suppose?

Il y eut un silence. M. Héraly mordillait nerveusement le bout de son crayon. M. Binet regardait par la fenêtre avec un faux air de détachement. La plume de M. De Mil continuait à courir sur le papier.

– Croyez-moi, monsieur le juge, fit enfin Labar, il n'y a pas dans tout cela de quoi fouetter un chat. C'est quelque rôdeur qui aura fait son affaire à Viroux, ou bien un de ces Bohémiens dont on ne sait ni d'où ils viennent ni où ils vont... Sûrement, ce n'est pas quelqu'un d'ici. Je suis né à Sainte-Croix et je ne me souviens pas qu'on y ait jamais tué personne...

M. Héraly se pencha vers son interlocuteur :

— Qu'avez-vous fait la nuit dernière, monsieur Labar? Pourriez-vous me le dire?

— Certes! répliqua l'autre.

Il ricana :

— Vous me demandez de vous fournir ce que vous appelez un alibi, n'est-ce pas?... Le voici... Vers 7 heures, comme toujours, j'ai fermé mon magasin, descendu les volets. Ma femme se sentait un peu souffrante. Renonçant à ma traditionnelle partie de bridge, j'ai fait une promenade d'une heure après le souper... Puis je suis rentré...

— A quelle heure?

— La demie de 9 heures sonnait quand j'ai pénétré dans la cuisine. Ma femme était déjà couchée.

— Elle dormait?

— Oui, comme je vous l'ai dit...

— De sorte qu'elle ne pourrait confirmer l'heure de votre retour?

— Elle, non... Mais ma sœur, qui vit avec nous, pourrait le faire. Elle reprisait des bas au coin du feu lorsque je suis rentré.

— Ah! fit M. Héraly. Mais... excusez-moi... il ne vous a peut-être pas été impossible de ressortir... plus tard?

— Plus tard?

— Oui... Si votre sœur est montée dans sa chambre peu après votre retour, quoi de plus facile pour vous que de ressortir sans être remarqué? En rentrant à 9 heures et demie, comme vous me déclarez l'avoir fait, vous avez pu demeurer dans la cuisine, en compagnie de votre sœur, pendant plus d'une heure, et quitter votre maison vers 10 heures et demie. Vous aviez ainsi largement le temps de vous trouver Grand-Rue pour 11 heures, moment où, selon toute apparence, le crime a été commis. Qu'en pensez-vous?

Antoine Labar ferma à demi les yeux et une moue railleuse plissant ses lèvres :

— Je pense, monsieur le juge, que cela vous ferait

plaisir d'avoir un coupable à arrêter tout de suite. Vilaine affaire, n'est-ce pas? Vous voudriez bien vous en aller... Sainte-Croix manque tellement de distractions!

Il se mit à rire, d'un rire insultant :

— Pour ce qui me regarde, je ne ferai pas grand-chose pour vous retenir! Partez, si le cœur vous en dit, monsieur le juge... Mais vous partirez sans moi.

— J'ai formulé une hypothèse, répliqua sèchement M. Héraly. J'attends toujours que vous la réfutiez.

Le marchand-tailleur haussa les épaules.

— Vous pouvez interroger ma sœur, répliqua-t-il. Elle vous dira quoi... Je n'aime pas qu'on me prenne pour un menteur!

— Soit! fit le juge d'instruction.

Il se leva :

— Nous allons y aller immédiatement.

Labar se leva à son tour.

— Si vous voulez, dit-il.

— Monsieur Binet, invita M. Héraly en endossant son pardessus, voulez-vous nous accompagner? Monsieur De Mil, prenez donc votre chapeau et votre serviette et suivez-moi... A propos, monsieur Labar, depuis quand votre femme est-elle malade?

— Ce doit être depuis hier soir, intervint M. Binet, car, hier après-midi encore, je l'ai aperçue dans le magasin.

Il eut aussitôt conscience d'avoir commis une gaffe car le juge d'instruction le foudroyait du regard.

— Eh bien? fit M. Héraly, s'adressant à Labar. Répondez.

— M. le bourgmestre l'a fait pour moi, grogna le marchand-tailleur. Il vient de nous le dire : hier après-midi encore, ma femme se trouvait dans le magasin... Mais il y avait déjà quelque chose qui n'allait pas.

— Vraiment! Vous avez fait appeler le docteur?

— Hé non! Pourquoi, le docteur? Cela passera

comme c'est venu. Si l'on devait à chaque fois appeler le docteur...

Les quatre hommes quittèrent la maison communale. La nuit était, maintenant, tout à fait venue. Pas une étoile au ciel.

Labar fit entendre un petit rire rauque :

— Tout à fait la même nuit qu'hier, monsieur le juge!... Peut-être bien encore un peu plus noire...

M. Héraly boutonna hermétiquement son col. Il se sentait sur le point de détester l'homme qui marchait à ses côtés.

Quelques instants plus tard, il pénétrait avec ses compagnons chez le marchand-tailleur.

— Par ici, dit Labar. Vous trouverez ma sœur dans la cuisine...

Ils l'y trouvèrent. C'était une femme aux cheveux gris, corpulente et de petite taille. Un masque dur. Elle tricotait près du poêle. Chaque soir, elle devait tricoter près du poêle.

— Berthe, fit Labar, ces messieurs voudraient vous poser quelques questions à propos...

Mais le juge d'instruction l'interrompit.

— Votre frère, madame, dit-il, nous a déclaré s'être promené hier, après le souper... Quand est-il rentré?

— A 9 heures et demie, répondit la femme avec mauvaise grâce.

— Voulez-vous me dire ce qu'il a fait ensuite?

— Il est resté près de moi à faire ses comptes.

— Et quand vous êtes montée vous coucher, il travaillait encore, n'est-ce pas?

La femme secoua la tête.

— Non, répliqua-t-elle. C'est lui qui est monté le premier.

— Ah! Quelle heure était-il?

— Ma foi, il devait être près de minuit.

— Qu'est-ce qui vous permet d'affirmer cela?

— Je suis montée quelques minutes après lui. J'ai regardé l'horloge : il était alors minuit moins 5.

M. Héraly et le bourgmestre échangèrent un coup d'œil éloquent : l'alibi d'Antoine Labar paraissait solide.

Le juge d'instruction cacha son dépit.

– Maintenant, fit-il en se tournant vers le marchand-tailleur, menez-moi à la chambre de votre femme.

L'homme eut un mouvement brusque.

– Que... Que lui voulez-vous? grogna-t-il.

– Je désire l'interroger, répondit M. Héraly.

– Ça n'est pas possible, vous le savez bien... Elle est malade...

– Mais pas gravement, vous me l'avez dit vous-même. Ou, du moins, est-ce ce que j'ai déduit de vos propos.

– Bien sûr, mais...

La sœur de Labar posa son tricot et se leva.

– Si vous voulez, dit-elle, je vais vous conduire auprès de Julie. Je lui ai fait prendre un cachet, tantôt. Elle dort...

– Vous n'allez pas la réveiller! s'écria le marchand-tailleur.

M. Héraly jeta sur lui un lourd regard et hésita un instant avant de répondre :

– Non, si elle dort, je ne la réveillerai pas...

Berthe Labar ouvrit la porte de la cuisine.

– Venez par ici, dit-elle.

Le juge d'instruction, le bourgmestre et le greffier la suivirent dans l'escalier dont les marches encaustiquées criaient sous leurs pas. Arrivé au palier du premier étage, M. Héraly se retourna. Il ne s'était pas trompé : Labar n'était pas avec eux... Sans doute attendait-il dans la cuisine?

Au second étage, la sœur du tailleur ouvrit une porte et s'effaça.

– Elle est là, murmura-t-elle.

M. Héraly fit un pas dans la chambre.

Il y avait un lit dans le fond de la pièce et, sous les

draps et les couvertures, se dessinait une forme humaine. Un ruisseau de cheveux noirs s'épandait sur l'oreiller.

— Julie! souffla Berthe Labar.

Elle répéta plus fort :

— Julie!

Rien ne bougea dans le grand lit.

— Vous voyez : elle dort...

Sans répondre, tandis que M. Binèt et M. De Mil restaient sur le seuil, le juge d'instruction, à petits pas, gagna le milieu de la chambre. Il était intrigué. Intrigué et inquiet. Il fallait que le sommeil de Julie Labar fût bien lourd pour qu'il n'eût pas été troublé par les bruits de pas dans l'escalier et par la rude voix de Berthe... M. Héraly ressentait une impression pénible. Il se faisait l'effet d'être dupé par le marchand-tailleur et par sa sœur, cette femme sans âge, sans grâce, paysanne rusée et sournoise. Et Labar? Pourquoi Labar était-il demeuré dans la cuisine?

Le juge d'instruction jeta un regard sur le maigre mobilier qui l'entourait, sur l'armoire à glace étroite et mal d'aplomb, sur le lavabo, la table couverte d'un napperon brodé, sur la tapisserie décolorée par le soleil de tant d'étés.

Il alla jusqu'à la fenêtre, écarta le store. Il aperçut, au fond d'un puits d'ombre, une petite cour mal pavée.

« Quel ordre! pensa-t-il. Quel ordre cruel!... »

Rien n'était jeté sur les chaises, pas une robe, pas un linge. Sur la cheminée, rien que la pendule et deux chandeliers, l'encadrant comme des gardes du corps. Presque malgré lui, M. Héraly fit un parallèle entre ces objets et ses hôtes, donnant un visage à chaque chandelier, celui de Labar et de sa sœur, et un à la pendule, celui de « la belle Julie ».

Mais était-elle réellement belle, comme on le disait? Il ne voyait rien de son visage, tourné vers le mur, sinon le ruisseau noir de ses cheveux.

Le juge d'instruction tourna la tête vers la porte.

— Qui a rangé cette chambre? demanda-t-il.

Et, comme il s'y attendait, Berthe Labar répondit avec brusquerie :

— C'est moi.

M. Héraly s'approcha de l'armoire à glace, passa l'index sur une rainure. Pas la moindre poussière.

« Oui, oui, pensa-t-il en retournant vers le lit, cette femme leur appartient, à tous les deux! Ce n'est pas sa maison et celle de son mari, c'est celle de son mari et de sa sœur... Cette chambre, ce n'est même pas sa chambre... »

Il allait et venait, en proie à une sourde angoisse qui ne faisait que croître. Machinalement, il voulut ouvrir l'armoire à glace. Elle était fermée à clef et la clef ne se trouvait pas sur la serrure.

— Eh bien? fit la voix de Berthe Labar. Qu'attendez-vous? Vous allez finir par la réveiller...

M. Héraly secoua la tête. « La réveiller... » Dans le lit, Julie Labar demeurait parfaitement immobile. On eût dit... Oui, on eût dit, à la voir ainsi, que Julie Labar ne devait jamais se réveiller.

— Je viens, dit le juge d'instruction. Un instant...

Il s'approcha du lit, à le toucher, se pencha.

Il ne vit rien du visage de la femme, sinon un front pâle, mais le drap se soulevait à intervalles réguliers, sous l'effet de la respiration.

Se détournant brusquement, M. Héraly quitta la chambre.

VIII

UNE NUIT TOUTE PAREILLE

— Une nuit toute pareille, avait déclaré Antoine Labar au juge d'instruction.

Et il avait ajouté :

– Peut-être bien encore un peu plus noire...

M. Gyther, le pharmacien, en sortant de chez lui, ce soir-là, fut d'avis, lui, que la nuit était *certainement* plus noire que la précédente.

Il avançait à grands pas, le long des murs, en admirant sa témérité. Sa femme lui avait dit :

– Arthur, à ta place, je renoncerais à sortir le soir tant que l'assassin de Viroux ne sera pas arrêté... Qui sait? Il se prépare, peut-être, à faire une nouvelle victime...

Arthur Gyther avait haussé les épaules et endossé son pardessus. Quoique maigre et chétif, il aimait assez poser à la forte tête, au gaillard décidé.

– Voyons, avait-il répondu, tu ne voudrais pas que je manque ma partie?... On se montrera du doigt, demain, dans le village, ceux qui, aujourd'hui, auront craint de se rendre au Cheval-Blanc.

Mme Gyther avait été sensible à cet argument. Elle se vantait d'avoir épousé un homme courageux et l'opinion publique était sa conscience à elle :

– Soit... Mais prends au moins ta canne!

Elle la lui avait mise dans les mains et était demeurée sur son seuil pour le voir s'enfoncer dans l'ombre. Sitôt qu'il avait disparu, elle était rentrée dans le vestibule, avait fermé la porte, donné deux tours de clef.

Et maintenant, tout en marchant rapidement, les mains dans les poches de son pardessus, son chapeau enfoncé sur les yeux et sa canne au bras, Arthur Gyther se faisait la réflexion que la nuit était bien noire, plus noire que l'autre nuit...

Mais c'est aussi que, la veille, l'idée de crime était loin de tous les esprits. On se sentait à l'aise dans la Grand-Rue comme dans les petites rues. Sans se forcer, on trouvait, à tout bruit suspect, une cause innocente. On mettait un nom sur chaque silhouette entrevue. Si la nuit était noire, c'était affaire de saison. Tandis qu'aujourd'hui...

M. Gyther, cessant de longer les maisons, se mit à marcher au beau milieu de la chaussée, pour « mieux voir venir ».

Aujourd'hui, eh bien, on savait ce qu'on risquait. On risquait d'être étranglé, ni plus ni moins. La Grand-Rue n'était pas sûre, non, pas sûre du tout, et les petites rues, impraticables. On avait beau chercher à se rassurer, à tout bruit suspect, on imaginait aussitôt une cause suspecte. Chaque silhouette entrevue paraissait inconnue, avait quelque chose de menaçant. Si la nuit était noire, peut-être était-ce complicité?...

M. Gyther frissonna et releva le col de velours de son pardessus. En admettant qu'être courageux ce n'est pas autre chose que dompter sa peur, le petit pharmacien était, en cet instant, le courage personnifié.

Aussi les vitres rougeoyantes du Cheval-Blanc éveillèrent-elles en lui une joie et un réconfort comparables à ceux que ressentent les passagers d'un navire en détresse en voyant enfin briller à l'horizon les feux du port.

En poussant la porte du café, il bomba le torse, et ce fut d'une voix éclatante qu'il souhaita le bonsoir à M. Lepomme. Puis son regard fit le tour de la salle...

Deux hommes seulement, jusqu'à présent, s'étaient montrés aussi courageux que lui : M. Verspreet, le vétérinaire, et M. Dermul, le secrétaire communal.

– Bonsoir, mes amis! fit M. Gyther en s'avançant, les mains tendues.

– Bonsoir, répondirent les deux autres d'une même voix.

M. Verspreet ajouta :

– Je constate, monsieur Gyther, que vous n'avez pas eu peur de traverser tout seul les rues de Sainte-Croix...

M. Gyther se redressa.

– Et pourquoi, demanda-t-il, voudriez-vous que j'aie eu peur?

– Dame, fit M. Dermul, après ce qui s'est passé la nuit dernière.

– Ah! oui. Ce crime! répliqua M. Gyther. Eh bien, ce n'est pas là une raison suffisante pour me retenir chez moi lorsque j'ai envie de sortir...

M. Verspreet toussa.

– Je doute, pour ma part, que tous nos amis affichent le même mépris du danger... Il est près de 9 heures déjà... S'ils tardent encore, je pense que nous devrons nous résigner à jouer au chasse-cœur ou à l'écarté... Vous aussi, je suppose, monsieur Gyther, vous avez été interrogé par le juge d'instruction?

– Pas encore, répondit le pharmacien. Je suis convoqué pour demain matin. Mais je ne vois vraiment pas en quoi je pourrai leur être utile...

– Ils soupçonnent Antoine Labar, grogna M. Verspreet. A mon avis, ça ne tient pas debout. Je veux bien que Labar ait menacé Viroux, mais enfin... A leur place, je mettrais tout de suite le grappin sur ces Bohémiens de malheur... Souvenez-vous de ce que je vous disais hier : ces gens-là sont capables de tout... Mais non, eux, on les laisse bien tranquilles...

Il abattit les mains sur ses cuisses :

– Dans quel monde vivons-nous!... Allons, les cartes! Nous allons commencer à jouer à trois, car s'il nous faut attendre...

Il n'acheva pas : la porte du café venait de s'ouvrir. Deux hommes entrèrent. C'était M. Binet, le bourgmestre, et M. Mol, le marchand de cycles.

– Enfin, vous voilà! s'écria M. Verspreet. Ma parole, nous ne vous espérions plus, nous pensions que vous aviez eu peur de venir jusqu'ici... Patron, un jeu de cinquante-deux cartes!

Il ajouta :

– Pour moi, ce sera une pale-alc... comme toujours.

Les deux nouveaux venus s'étaient assis pendant que

M. Lepomme disposait sur la table un tapis vert, le jeu demandé et les consommations.

– Nous allons tirer, n'est-ce pas? proposa Dermul. Celui d'entre nous qui aura la plus petite carte ne jouera pas pour le moment...

M. Verspreet se pencha vers le bourgmestre :

– Quoi de neuf, monsieur Binet?... A-t-on interrogé Labar?...

Le bourgmestre se fit un peu tirer l'oreille pour la forme : il avait promis de ne parler des progrès de l'enquête à personne, la moindre indiscrétion pouvant donner l'éveil au coupable...

– Tout de même, vous nous direz bien s'ils ont interrogé Labar?

– Oui, ils l'ont interrogé, répondit M. Binet.

– Et alors... Ils ne l'ont pas arrêté?

– Antoine Labar, fit le bourgmestre d'une voix grave, a fourni un alibi au juge d'instruction. Il se trouvait chez lui, dans la cuisine, avec sa sœur, pendant qu'on étranglait Viroux.

– De sorte, interrogea M. Gyther, qu'il est hors de cause?

– Ma foi, vous m'en demandez trop. Mais naturellement, à moins que Labar soit doué du don d'ubiquité, il ne me paraît pas possible qu'il ait à la fois vérifié ses comptes, chez lui, et tué le commis voyageur, dans la Grand-Rue.

– Oui, ça paraît difficile..., dit à son tour M. Mol qui ne laissait pas d'être ébloui par le mot « ubiquité ». D'ailleurs, pour ma part...

– Et qui donc, intervint M. Verspreet, a confirmé l'alibi de Labar? Sa femme?

– Sa sœur, répondit le bourgmestre. Nous l'avons accompagné chez lui, nous sommes même montés dans la chambre de la belle Julie...

– Oh! Oh! fit le vétérinaire. Elle n'y était pas, sans doute?

– Mais si, elle y était. Et dans son lit, encore! C'est

même pour cela que le juge d'instruction a tenu à la voir...

— Dans son lit! s'écria M. Lepomme qui ne perdait rien de la conversation, debout à côté de la table, les poings sur les hanches. Eh bien, monsieur le bourgmestre, vous n'avez pas dû vous embêter, hein? Elle doit être jolie, la garce, dans son lit...

M. Binet haussa les épaules.

— Elle est malade, répondit-il. Elle dormait.

— Mais, fit M. Verspreet, pour l'interroger, on a dû la réveiller?

— On ne l'a pas interrogée, répliqua le bourgmestre. Le juge d'instruction n'a fait qu'examiner la chambre. Nous, nous sommes restés sur le seuil... et, pendant tout ce temps, la belle Julie n'a pas bougé...

Il hésita avant d'ajouter :

— Le juge d'instruction m'a même paru un peu inquiet. Il avait dit à Labar que, si sa femme dormait, il ne la réveillerait pas, qu'il l'interrogerait plus tard. Il s'est penché sur le lit et il ne m'a paru rassuré que lorsqu'il s'est aperçu que Mme Labar respirait normalement.

Il y eut un silence, bientôt rompu par M. Verspreet :

— Et à vous, monsieur le bourgmestre, ce sommeil ne vous a pas paru étrange?

— Etrange... Non, je ne puis pas dire qu'il m'ait paru étrange...

Mais il parlait sans conviction.

— Labar et sa sœur, reprit M. Verspreet, ce sont deux têtes sous le même bonnet... Pour sa femme, il en va tout autrement... Je trouve pour le moins bizarre qu'elle soit tombée malade si brusquement et que, grâce à ce sommeil, le juge d'instruction n'ait pu...

Il s'interrompit :

— Eh bien, monsieur Gyther, qu'est-ce qui vous prend?

M. Gyther venait de pousser un petit cri, il était pâle et de l'effarement se lisait dans ses prunelles.

– Serait-ce possible?... murmura-t-il.

– Qu'est-ce qui serait possible... ou pas possible? insista M. Verspreet, bourru comme à son ordinaire. Voyons, ne voulez-vous pas répondre?

– Non, non, fit le petit pharmacien, d'une voix tremblante.

Il repoussa sa chaise et se leva :

– Il faut... Il faut que je m'en aille...

– Ah! ça, vous êtes malade?

M. Gyther secoua la tête :

– Vous jouerez sans moi... Vous êtes quatre... Il faut que je m'en aille tout de suite...

M. Verspreet regarda M. Dermul et se frappa le front de l'index.

Mais, interrogea M. Dol, où voulez-vous aller? Vous avez pris rendez-vous ou bien...?

Le pharmacien endossait en hâte son pardessus.

– Il me faut, dit-il, aller trouver...

Mais il n'acheva pas et, se tournant vers M. Binet :

– Le juge d'instruction est bien descendu à l'hôtel de la Gare, n'est-ce pas?

– Ainsi donc, fit M. Verspreet, c'est à lui que vous en avez?

Il ricana :

– Un calcul de probabilités vous a livré l'identité de l'assassin, peut-être?

– M. Héraly a effectivement élu domicile à l'hôtel de la Gare, répondit le bourgmestre, mais...

Il consulta sa montre :

– A cette heure-ci, il doit encore se trouver dans mon bureau, à la maison communale. Il m'a déclaré, quand je l'ai quitté, qu'il y travaillerait fort tard.

– Vous... Vous êtes certain que je le trouverai là-bas? insista M. Gyther.

– A peu près certain.

– Merci.

Le pharmacien, en coiffant son chapeau melon, y avait fait une bosse. Il ne s'en aperçut pas et ce fut en boutonnant son pardessus tout de travers qu'il s'élança vers la porte du café. L'instant d'après, la nuit l'avait absorbé...

– Ma parole, s'écria M. Verspreet, il a l'esprit dérangé!

– Ou bien, fit M. Dermul, il en sait plus long que nous sur le crime et il en veut informer le juge d'instruction. Mais quelle agitation... On eût dit qu'il venait de faire quelque découverte sensationnelle... Il ne tenait plus en place... Voyez, il a même oublié sa canne.

Au cœur de la nuit, cette nuit toute pareille à la précédente nuit, peut-être bien un peu plus noire, certainement plus noire, le petit M. Gyther courait, coudes au corps, vers l'hôtel communal. Son devoir lui était apparu soudain, lumineux, en même temps que l'idée qui l'avait frappé. Pas une seconde, il n'avait pensé à s'y soustraire et, maintenant, il courait de toutes ses forces, sans songer à autre chose qu'au but de sa course... Bientôt, toutefois, il sentit une faiblesse dans les jarrets, sa respiration se fit précipitée, il fut obligé de ralentir le pas...

Alors, cerné de toutes parts par les ombres de la nuit, le petit M. Gyther, de nouveau, connut la peur. La gorge serrée, le creux des mains moites, il jetait autour de lui des regards furtifs. Tout était silence dans le village, il n'entendait que le bruit de ses propres pas et les battements de son cœur, tout lui paraissait désert et ce fut en frissonnant qu'il imagina, malgré lui, l'approche du mystérieux meurtrier d'Aristide Viroux.

Il allait surgir, là, au bout de la rue, grand et mince, tout noir, avec un visage blanc, marqué de trous à la place des yeux. Il s'avancerait, tout à fait immobile, sans même remuer une jambe, comme s'avancent, implacables, dans les cauchemars, les étrangleurs. Et lui, Gyther, Arthur Gyther, pharmacien à Sainte-Croix-les-Bruges, il se sentirait glacé de la tête aux pieds, paralysé, incapable de faire un mouvement pour fuir le monstre, il resterait là, cloué sur place, toute sa vie réfugiée dans ses yeux. Des mains froides, molles et dures à la fois, gluantes, se noueraient autour de son cou frêle, et serreraient... Mais il ne se réveillerait pas, comme à l'issue d'un cauchemar, le front mouillé de sueur, il ne se réveillerait pas, plus jamais!...

M. Gyther se remit à courir. Dans cinq minutes, au plus, il aurait atteint la maison communale, il dirait à M. Héraly, le juge d'instruction, ce qu'il savait. Et Mme Gyther, quand son mari rentrerait et lui raconterait sa randonnée nocturne, applaudirait à son courage. Et demain, tout Sainte-Croix, quand il saurait, applaudirait avec elle.

« Encore quelques maisons, pensa le petit pharmacien, et j'aurai atteint la place... »

Là, il serait hors de danger, car, même poursuivi par l'étrangleur, il aurait le temps de s'engouffrer dans l'hôtel communal, d'appeler à l'aide, de heurter à la porte du bureau de M. Héraly... Là, il serait sauvé...

Encore une fois, il dut ralentir le pas. La sueur ruisselait le long de ses joues, il souffrait d'un point de côté.

Il se mit à compter les maisons qui le séparaient encore de la grande tache de lumière qui situait la place : une, deux, trois, quatre... Encore six ou sept maisons et...

A ce moment, son cœur s'arrêta de battre, la terreur le fit plier sur les genoux. Il voulut crier et ne le put.

Dans l'ombre d'une encoignure de porte, une ombre, plus noire, avait remué.

Et, soudain, M. Gyther sentit se nouer, autour de son cou frêle, des mains froides, molles et dures à la fois, gluantes, les mains ignobles de l'étrangleur immobile, de l'étrangleur sans visage qui, quelquefois, avait hanté ses nuits.

Dans un ultime geste de défense, il chercha à son côté la canne dont l'avait muni Mme Gyther et qu'il avait oubliée au Cheval-Blanc.

IX

SEB SOROGE A LA RESCOUSSE

— Est-ce que cela se voit? disait, depuis quelques jours, Seb Soroge à ses amis.

— Quoi? lui demandait-on.

Il répondait :

— Que je suis fiancé?

Les uns déclaraient que non, les autres déclaraient que oui. Et c'étaient ceux-ci qui avaient raison. Que Seb Soroge fût amoureux, on n'en pouvait douter lorsqu'on avait vu la flamme nouvelle qui brillait par instants dans ses yeux, lorsqu'on l'avait entendu siffler comme un rossignol derrière une porte fermée, alors qu'il se croyait seul, lorsqu'on avait senti le parfum rare et chaud dont il s'imbibait allégrement des pieds à la tête.

Seb Soroge, à trente ans, était un grand et solide gaillard, content de vivre. Personne de moins naïf que lui quoiqu'il affectât généralement, et particulièrement vis-à-vis des femmes, une candeur dont il se parait comme d'un charme de plus. Son vrai nom était Sébastien mais il l'eût oublié s'il n'avait dû, de temps à autre, signer des pièces officielles. Quelqu'un avait dit de lui, non sans raison, qu'il avait introduit un élément poétique dans la police de son pays.

Quand il arriva, ce matin-là, à « la boîte », un de ses confrères vint à lui :

— Seb, le patron vous demande.

— Bien, dit Seb.

Et il alla frapper à la porte du bureau de M. Tré-pied, le commissaire en chef.

— Entrez! cria une voix lasse.

L'inspecteur pénétra dans le bureau et, une fois de plus, il fut frappé par l'expression de tristesse répandue sur les traits de son chef. Cette expression, cependant immuable, était due au nom que portait le commis-saire.

Ce nom, certes, ne l'avait pas empêché, comme il se plaisait souvent à le répéter, de « faire son chemin », mais il aurait mieux convenu à un auteur gai qu'à un commissaire en chef. Il est difficile de ne pas remar-quer qu'un homme inconsolable de la perte d'une femme aimée et qu'un bureaucrate aigri ou souffrant du foie teintent leurs propos d'une même dose d'ironie incisive et de cynisme. Ainsi, une chose si grande, une si noble souffrance, et une chose si mesquine, si suprêmement ridicule, ont des effets identiques. Allez donc distinguer et dire : « Celui-ci, c'est l'amour qui le torture. — Celui-là, c'est son appendice qui le tripote. » La réciproque était vraie pour M. Trépied. En ce sens que M. Trépied avait un visage d'une beauté romantique mais qu'il ne croyait pas à l'amour; s'il était plein de nonchalante grâce, si son front pur paraissait douloureux et si ses yeux dissimulaient avec peine un chagrin ancien mais durable, c'était seule-ment parce qu'il ne se consolait pas de s'appeler Trépied.

Seb ne l'ignorait pas. Aussi évitait-il toujours soi-gneusement d'appeler son chef par son nom. Il disait : « Bien, patron » ou : « Chef, c'est une chose enten-due ». Grâce à quoi, il était des privilégiés à qui il fût donné, de temps à autre, de voir errer, sur les lèvres douloureuses et fines du commissaire en chef, un sourire furtif.

Toutefois, ce matin-là, dès qu'il eut pénétré dans le bureau du commissaire et que celui-ci lui eut déclaré :

« Soroge, j'ai une belle affaire pour vous », l'inspecteur répondit :

– Vraiment, monsieur Trépied?

Le commissaire en chef regarda Seb avec reproche et ce fut avec effort qu'il poursuivit :

– Vous allez partir pour Sainte-Croix. C'est à deux kilomètres de Bruges. En deux jours, on vient d'y tuer deux hommes... Tenez, voici le télégramme que je viens de recevoir.

– Merci, monsieur Trépied, fit Seb en prenant le télégramme.

Le commissaire en chef eut un haut-le-corps. Encore une fois! L'inspecteur nourrissait-il donc quelque grief contre lui?

Seb Soroge ne remarqua pas ce haut-le-corps. Il lisait le télégramme qui était ainsi conçu :

Affaire grave. Homme étranglé par inconnu avant-dernière nuit, un autre cette nuit. Envoyez meilleur inspecteur urgence.

C'était signé : *Héraly*.

– Mais, fit Seb Soroge avec candeur en rendant le télégramme à son chef, avez-vous remarqué, monsieur Trépied, qu'on a écrit : *meilleur inspecteur?*

Cette fois, le commissaire eut un tel soubresaut que son subordonné, sur-le-champ, revint à une plus nette conception des choses. Quelle imprudence était la sienne! Encore un peu et il compromettait son avancement. Peu importe que l'amour fût seul en cause et que la désagréable perspective de débrouiller une affaire, loin de la ville où habitait sa fiancée, lui eût fait oublier l'innocente manie de M. Trépied. Il fallait réparer tout de suite ou bien...

Il répara.

– C'est entendu, chef, dit-il. Je partirai quand vous le voudrez, patron. Vous savez bien, monsieur le commissaire, que vous pouvez toujours compter sur moi!...

M. Trépied s'épanouit.

– Précisément, Soroge, répliqua-t-il, c'est parce que M. Héraly, juge d'instruction à Bruges, réclame mon meilleur inspecteur que j'ai pensé à vous. Croyez bien que je regrette de troubler les prémices de votre lune de miel, mais l'affaire est d'envergure. Vous en jugerez par ce journal de Bruges que vous pouvez emporter pour lire en voiture...

– En voiture? s'étonna Seb.

– Parfaitement, répliqua le commissaire en chef, je mets mon auto à votre disposition... Vous comprenez, il n'y a pas une minute à perdre.

« Ho! Ho! se dit Seb. Sa propre voiture, s'il vous plaît!... Dans ce cas, ça doit être rudement grave? »

– Me permettrez-vous, patron, demanda-t-il, d'aller embrasser ma fiancée avant de partir?

– Je ne puis réellement vous refuser cela, consentit M. Trépied. Toutefois, ajouta-t-il en souriant, ne l'embrassez qu'une fois... Il y a des vies en danger à Sainte-Croix.

Il se leva :

– Mon chauffeur vous attend en bas, au volant de l'auto. Si vous avez des contraventions pour excès de vitesse, je m'en charge.

Il serra la main de l'inspecteur :

– Au revoir, Soroge... Encore une fois, cela m'ennuie de vous charger de cette besogne-là car elle ne sera pas sans péril... En fait, je crois que vous allez risquer votre peau... Mais le devoir avant tout, n'est-ce pas?...

– Certes, fit Seb, la voix étranglée.

Et il sortit.

« Zut! pensa-t-il en descendant précipitamment l'escalier. Zut et re-zut! Quel sale métier!... »

Quoiqu'il en pensât sur le moment, il l'adorait, ce sale métier. Mais il adorait aussi sa fiancée et il se demanda, avec un drôle de petit pincement au cœur, si son courage, jadis proverbial, allait résister à l'épreuve de l'amour.

Autrefois, il risquait « d'y rester », sans plus. Aujourd'hui, si les choses tournaient mal, de beaux yeux de jeune fille s'empliraient de larmes par sa faute... Oui, tout était changé.

Ce ne fut que lorsque la puissante limousine du commissaire en chef l'emporta à toute vitesse vers Bruges que Seb Soroge pensa qu'il était réellement préférable qu'il n'eût pas revu sa fiancée avant son départ.

Bien entendu, sur le moment, lorsqu'il avait appris, par la servante qui lui avait ouvert, qu'elle n'était pas chez elle, il s'était senti extrêmement dépité et avait été sur le point, même, de retarder son voyage. Mais, maintenant que, à travers les carreaux embués des portières, il voyait venir follement à sa rencontre les maigres arbres tourmentés bordant la route, que chaque tour de roue l'éloignait un peu plus de celle qu'il aimait, il comprenait qu'une entrevue avec elle n'eût servi qu'à lui ôter une partie de ses moyens. Tantôt, lorsqu'elle rentrerait, elle trouverait la tendre lettre qu'il avait griffonnée à la hâte pour elle et il serait trop tard pour qu'elle tentât quoi que ce soit pour le retenir... Décidément, tout était mieux ainsi.

« Cependant, murmura une voix mystérieuse à son oreille, si elle t'avait embrassé, tu te serais senti plus fort... »

Seb Soroge fit taire cette voix importune et, se carrant sur les coussins de la voiture, croisant les jambes, une cigarette aux lèvres, il déplia le journal que lui avait donné, une heure plus tôt, le commissaire en chef.

La première page en était presque exclusivement consacrée aux meurtres de Sainte-Croix. On y lançait, toutes les cinq lignes, un cri d'alarme, on y prenait la police à partie, on s'y livrait à maints commentaires intempestifs.

Seb Soroge, négligeant ces détails, se contenta de lire

la relation des faits. Il apprit ainsi comment Aristide Viroux, commis voyageur en soieries et articles divers, avait été trouvé étranglé dans la Grand-Rue, l'avant-dernière nuit, vers 11 heures. Il apprit également que l'assassin inconnu s'était servi d'un lacet pour tuer sa victime et qu'il ne lui avait rien dérobé.

– Un lacet..., murmura Seb Soroge, en reposant son journal sur ses genoux.

Il se souvenait que l'un de ses amis, qui avait fait la guerre, lui avait raconté comment, au cours d'une patrouille, ayant perdu son poignard, il ne lui était resté qu'un lacet pour réduire un Allemand au silence. Oui, un simple lacet, pour peu qu'on sût s'en servir, pouvait devenir une arme redoutable...

Il reprit sa lecture et sut comment le juge d'instruction lui-même, ayant la nuit dernière travaillé fort tard dans un bureau de la maison communale, avait, en regagnant son hôtel, buté contre un corps étendu sans vie sur le trottoir, celui de M. Arthur Gyther, pharmacien à Sainte-Croix.

L'article ne disait pas si cette seconde victime avait été tuée comme la première et si elle avait été dépouillée mais les paragraphes qui le terminaient retinrent longtemps l'attention de l'inspecteur.

Ils étaient ainsi conçus :

Des témoins déclarent que M. Gyther quitta précipitamment l'hôtel du Cheval-Blanc. Il donna l'impression, à la plupart d'entre eux, qu'il avait une révélation à faire au juge d'instruction au sujet du premier crime commis à Sainte-Croix. Il s'enquit, en effet, auprès du bourgmestre, de l'endroit où il pourrait trouver le magistrat, et son cadavre, rappelons-le, a été découvert non loin de l'hôtel communal où M. Héraly, lui avait-on dit, travaillerait fort tard.

Il semble donc établi que le pharmacien voulait communiquer de toute urgence avec le juge d'instruction pour lui livrer, sans doute, un renseignement d'importance... Serait-ce pour l'empêcher de parler qu'on l'a tué?...

X

COULEUR DE SANG

Quand M. Héraly et M. De Mil rentrèrent dans le bureau du bourgmestre, à la maison communale, après leur nouvelle visite au domicile d'Antoine Labar, ils trouvèrent Seb Soroge qui les attendait, en compagnie de M. Hanon, le substitut.

Ces deux derniers se connaissaient de longue date. Aussi M. Hanon avait-il déclaré à l'inspecteur :

— Maintenant que vous êtes là, Soroge, je puis regagner Bruges sans scrupules. Avant la fin de la semaine, vous m'apprendrez l'arrestation du mystérieux assassin qui a plongé cet honnête village dans la terreur...

Seb Soroge en était beaucoup moins sûr mais, quoi qu'il en dît, il n'arriva pas à entamer la confiance du substitut qui l'avait vu maintes fois à l'œuvre et lui vouait une profonde admiration.

M. Héraly, lui aussi, se montra fort aimable.

— Je suis certain, dit-il, que vous débrouillerez cette énigme dans un minimum de temps. On parle aujourd'hui de vous comme on parlait, il y a un an, de Wenceslas Vorobeïtchik... Ce n'est pas là une mince référence.

Il s'installa à son bureau :

— Vous êtes au courant de l'affaire, n'est-ce pas?

— C'est-à-dire, répliqua Seb, que je n'en connais que ce qu'en a publié, ce matin, un journal de Bruges... Ce M. Gyther a-t-il été tué de la même manière que le commis voyageur?

— Pas tout à fait, répliqua M. Héraly. Comme Aristide Viroux, il a été étranglé – mais non pas à l'aide d'un lacet... Ce sont, cette fois, les mains du meurtrier qui lui ont fait un collier mortel.

– Ah! dit Seb. Etait-il plus frêle que la première victime?

– Beaucoup plus frêle, répliqua M. Héraly.

Il ajouta, pensif :

– Viroux, lui, était un solide gaillard...

– Et à M. Gyther, non plus, sans doute, on n'a rien dérobé? Le journal est muet sur ce point.

– C'est bizarre, n'est-ce pas? répondit M. Héraly. Mais, au pharmacien, on a volé son portefeuille qui contenait une somme importante. On lui a pris aussi sa montre et sa chaîne en or... Je doute, cependant, que le vol ait été le mobile du crime. Je suis plus près de penser qu'il s'agit là d'une feinte, que l'assassin, ce faisant, a cherché à nous abuser sur les véritables motifs de son forfait... Dans le cas contraire, il eût également volé, me semble-t-il, le commis voyageur.

– A moins qu'il n'en ait pas eu le temps? suggéra le substitut.

– Non, non, fit le juge d'instruction. Pour moi, c'est ce journal de Bruges qui a raison. J'ai d'ailleurs interrogé, ce matin, le bourgmestre, le vétérinaire et les autres témoins qui se trouvaient avec M. Gyther, hier soir, au Cheval-Blanc. Le pharmacien comptait certainement me faire une révélation d'importance, susceptible, sans doute, d'aider à la découverte de l'assassin, et c'est pour cela qu'on l'a tué.

– Comment expliquez-vous, dans ce cas, interrogea Seb, que M. Gyther ne vous ait pas fait cette révélation plus tôt?

– C'est que, répliqua M. Héraly, il n'y a pas pensé. Il a été frappé par une idée subite, alors qu'il se trouvait au café. Il l'a aussitôt quitté pour venir me trouver.

– C'est bien ce que j'avais compris d'après l'article, fit Seb. Mais, puisque le pharmacien s'est seulement avisé de parler quelques instants avant d'être tué, comment voulez-vous que l'assassin ait été aussi vite informé de ses intentions?

Il poursuivit après un instant de réflexion :

– Je ne pense pas que l'hypothèse émise par le journal soit vraisemblable. Si M. Gyther s'est décidé à parler alors qu'il se trouvait au Cheval-Blanc – mieux, s'il a seulement alors *pensé* à parler de ce qu'il savait –, l'assassin, à moins qu'il ne fût présent, ne pouvait être au courant de ses intentions...

Il y eut un long silence.

Ce fut M. Héraly qui le rompit :

– Vous avez raison, monsieur Soroge. A moins que l'assassin ne se trouvât au Cheval-Blanc, il ne pouvait pas savoir que le pharmacien venait me trouver pour me fournir quelque renseignement. Or, l'assassin ne se trouvait pas au Cheval-Blanc...

– Pourquoi pas?

– Il y avait là M. Binet, le bourgmestre, M. Verspreet, le vétérinaire, M. Dermul, le secrétaire communal, M. Mol, le marchand de cycles, et M. Lepomme, le patron de l'établissement. Il y est venu d'autres personnes – dont M. Wyers, le boucher, et M. Mascaret, l'instituteur – mais plus tard... J'ai interrogé, comme je vous l'ai dit tantôt, les cinq premiers. Aucun d'eux n'a quitté le café avant que le crime fût commis. Ils sont donc hors de cause.

– En effet! dit Seb. Et quant à l'hypothèse que vous formuliez il y a quelques instants, vous voyez qu'elle n'est pas très solide...

Il se mit à rire :

– Ah! que Sherlock Holmes s'amuserait s'il était ici! Je pense qu'il aurait déjà fait remplir et signer des mandats d'arrêt à charge des rares habitants de Sainte-Croix qui portent des souliers à boutons...

M. Héraly et M. Hanon se regardèrent étonnés.

– Des souliers à boutons? fit le premier. Pourquoi à charge de ceux qui portent des souliers à boutons?

– Ma foi, répliqua l'inspecteur, je crois bien que le

grand Sherlock se serait dit ceci : « Un assassin répugne à se servir de ses propres armes » puis, poussant plus avant son raisonnement, il serait tout naturellement arrivé à cette conclusion : « Si le meurtrier a étranglé sa victime avec un lacet, c'est pour se mettre à l'abri de tout soupçon, les faire peser sur d'autres... Donc, il porte des souliers à boutons! »

Il ajouta :

– Lorsque nous aurons arrêté le meurtrier – ce qui, d'après M. Hanon, ne peut tarder –, je serai curieux de voir ses souliers. Et ce Labar, jusqu'à quel point est-il compromis?

– Mon Dieu, il ne l'est guère, répliqua M. Héraly. Dans le village, on l'accusait. Viroux faisait la cour à sa femme et le tailleur avait proféré des menaces à l'endroit du commis voyageur. Je l'ai interrogé hier, puis je me suis rendu chez lui afin de faire confirmer son alibi par sa femme et sa sœur. Les déclarations de la seconde concordaient en tout point avec celles de Labar, mais je n'avais pu interroger la première. Elle était, paraît-il, malade, et dormait lorsque je pénétrai dans sa chambre... Elle dormait même d'un sommeil qui me parut, je l'avoue, anormal...

– Ah! fit Seb. Et, aujourd'hui, vous êtes retourné chez Labar?

– J'en viens. Il m'a fourni un alibi – le même que celui d'hier, à la vérité – pour le second meurtre. Mais, naturellement, le but principal de cette nouvelle visite, c'était l'interrogatoire de « la belle Julie »...

– Et elle dormait encore, sans doute? Et, comme la première fois, vous n'avez pas eu le courage de la réveiller?

M. Héraly regarda Seb Soroge avec étonnement. Il lui avait semblé déceler une sorte de rancune dans son interruption.

– Mais non, dit-il. Elle était encore couchée, mais elle ne dormait plus. Comme je m'y attendais, elle n'a pu me dire grand-chose. Elle m'a simplement déclaré qu'elle n'avait jamais encouragé Viroux...

— Vous l'avez interrogée, seul à seule?

— Non, sa belle-sœur était présente.

— Ah! fit encore Seb.

Il alluma une cigarette :

— Avez-vous demandé à Labar s'il avait fait la guerre?

— Non. Pourquoi?

— Une simple idée...

Seb Soroge parut chasser un souci :

— D'ailleurs, puisqu'il a un alibi...

— Deux, corrigea M. Héraly.

— C'est vrai, deux...

L'inspecteur se leva et alla jusqu'à la fenêtre :

— Je gage que, pour chaque crime, Labar nous fournira un alibi...

— Vous ne voulez pas dire, s'écria M. Hanon, que l'on va continuer à commettre des meurtres à Sainte-Croix?

— Pourquoi pas? Ça m'a tout l'air du commencement d'une série...

— Mais, s'écria le substitut avec une sorte de désespoir, vous allez arrêter l'assassin, n'est-ce pas?

— Bien sûr, répondit Seb Soroge, bien sûr...

Il parlait en regardant, par la fenêtre, la place qui s'étendait devant l'hôtel communal et aux confins de laquelle, la nuit dernière, Arthur Gyther avait été étranglé :

— Tout de même, monsieur Héraly, à votre place, je demanderais au bourgmestre d'engager ses administrés à sortir le moins possible, une fois la nuit tombée Sinon... Sinon, la liste des nécrologies pourrait s'allonger, je le crains, d'inquiétante façon...

Il se retourna soudain, tout d'une pièce, vers ses interlocuteurs :

— Avez-vous entendu parler des ronds rouges?

— Les ronds rouges! s'étonna le juge d'instruction. Qu'est-ce que cela?

— C'est une marque de mort, répondit Seb Soroge. (Puis il expliqua :) En arrivant à Sainte-Croix, je ne suis pas venu directement ici. J'ai fait une petite promenade dans le village, je me suis mêlé à des groupes qui discutaient avec animation : rien de tel pour prendre le pouls à l'opinion publique... Et savez-vous ce que, entre autres choses, j'ai appris!... J'ai appris que l'on avait tracé, cette nuit, sur la porte de l'hôtel de la Gare, un grand rond à la craie rouge, rond que l'on a effacé, ce matin, en pensant que c'était là l'œuvre d'un mauvais plaisant... Or, Viroux était descendu à l'hôtel de la Gare...

— Mais nous aussi, intervint M. Héraly. Et personne ne nous a parlé de ce rond rouge...

— Parce que, répliqua Seb, personne n'y a, d'abord, attaché d'importance... On n'a commencé à comprendre qu'en apercevant, sur la porte de la maison d'Arthur Gyther, un rond rouge semblable au premier...

— De sorte que...? Mais non, c'est invraisemblable! s'écria M. Héraly. Voyez-vous un assassin risquant de se faire prendre pour le plaisir de marquer les portes des maisons habitées par ses victimes? Depuis la Saint-Barthélemy, ajouta-t-il avec un petit rire, de tels procédés ne sont plus, que je sache, en honneur...

— Pour ma part, répliqua l'inspecteur, il n'y a pas de doute à conserver là-dessus... Ces cercles couleur de sang ont été tracés par la main de l'assassin... Pourquoi? L'avenir nous le dira...

Il se retourna vers la fenêtre...

— ... ou ne nous le dira pas.

Il y eut un instant de silence, puis Seb pria, le dos toujours tourné à ses interlocuteurs :

— Monsieur De Mil, je vous serais obligé, lorsque vous aurez un moment de loisir, de téléphoner à

Bruxelles. Vous demanderez à M. Trépied, le commissaire en chef, qu'il m'envoie l'inspecteur Cardot ou Henry... Je prévois qu'il y aura ici de la besogne pour deux, au moins.

Tout en parlant d'une voix lente, égale, Seb Soroge ne cessait de regarder par la fenêtre. On eût dit qu'il attendait, qu'il guettait quelque chose.

Soudain, il approcha son visage de la vitre, à la toucher. Puis il ouvrit la croisée et se pencha.

– Qu'y a-t-il? interrogea M. Héraly.

Seb Soroge referma la fenêtre, se retourna et s'avança au milieu de la pièce.

– Une femme, dit-il, vient de traverser la place en courant et est entrée ici... Elle paraît affolée...

– Une femme?... Affolée?... s'écria M. Héraly.

– Je gage, fit encore l'inspecteur, que c'est celle que vous appelez « la belle Julie ».

Et, comme il disait cela, il y eut un bruit de pas précipités derrière la porte, celle-ci fut ouverte d'un coup et Julie Labar, échevelée, pénétra dans la pièce.

– Pour Dieu, cria-t-elle, sauvez-moi!...

XI

LE TRAQUENARD

Il y eut un moment d'émoi indescriptible. Julie Labar, qui poussait des gémissements entrecoupés de larmes, paraissait sur le point de défaillir. M. De Mil s'était précipité au-devant d'elle avec une chaise, M. Héraly l'avait enveloppée de ses bras et M. Hanon avait bondi jusque sur le palier pour s'assurer qu'elle n'était pas poursuivie...

Seb Soroge, seul, avait conservé tout son calme. On eût dit qu'il avait prévu l'événement. Il s'assit, jambes pendantes, sur un coin du bureau, sortit de sa poche une courte pipe de bruyère et se mit en devoir de la bourrer avec flegme. En même temps, d'un regard aigu, il examinait « la belle Julie » des pieds à la tête.

La femme paraissait se trouver sous le coup d'une grande terreur. Elle jetait à droite et à gauche, et surtout vers la porte, des regards égarés. Elle tremblait de tous ses membres et des larmes coulaient le long de ses joues pâles.

« Détente nerveuse », pensa Seb Soroge.

Malgré ses yeux hagards, la crispation de ses traits, la femme du marchand-tailleur demeurait jolie. Sa chevelure défaite croulait sur ses épaules rondes et, sous son manteau, on apercevait le bord blanc d'un vêtement et une cheville finement cambrée. Comme elle faisait un geste brusque, le manteau s'ouvrit et l'inspecteur s'aperçut avec un minimum d'étonnement qu'il recouvrait une longue chemise de nuit.

« C'est bien cela, se dit-il, elle sort de son lit... »

Cependant, Julie Labar se calmait peu à peu... Vint un moment où M. Hanon put reprendre sa place favorite, dos à la cheminée, et M. Héraly se rasseoir à son bureau. M. De Mil, plein de zèle, demeura debout auprès de la belle visiteuse.

Seb Soroge, toujours assis sur le bureau, se retourna vers le juge d'instruction.

— Je ne vous gâte pas la vue? demanda-t-il avec une sorte de petit ricanement.

Mais M. Héraly ne lui répondit pas et, s'adressant à la femme du marchand-tailleur :

— Qu'est-ce qui nous vaut, madame, l'honneur de votre visite?

Seb jeta au juge d'instruction un regard plein d'effroi.

« Cet homme, pensa-t-il, est terriblement distingué... Voici une formule capable de faire piquer une crise de nerfs à la belle Julie! »

Mais celle-ci surmonta vaillamment l'épreuve.

— Je me suis échappée, répondit-elle, pour venir

vous dire que c'est mon mari qui a tué Ar... qui a tué Viroux.

– Ho! Ho! fit le juge d'instruction. C'est une accusation grave que vous portez là, madame!

– Je vous dis qu'il l'a tué! répéta Julie Labar. Il l'a assassiné parce que je voulais m'enfuir avec lui.

Elle poursuivit, haletante :

– Viroux et moi, nous... nous nous aimions! Mon mari, je le déteste! Alors...

Elle s'interrompit. Les yeux fixes, les mains à plat sur les genoux, elle parut, un instant, changée en statue. Puis elle murmura :

– Je ne puis pas parler... Si je parle, il me tuera!...

– Voyons, madame..., commença M. Héraly.

– Il me tuera! Il l'a dit... Il l'a dit...

Elle se cacha la tête dans les mains :

– Je ne puis pas parler...

Alors, Seb Soroge se pencha vers le juge d'instruction.

– Monsieur Héraly, dit-il, faites arrêter immédiatement Antoine Labar.

– Mais...

– Faites-le arrêter immédiatement. Il est peut-être déjà trop tard.

– Je ne puis remplir de mandat d'amener avant...

– Accessoire.

Seb baissa la voix :

– D'ailleurs, *elle* ne parlera pas...

D'un bref mouvement de tête, il désigna la jeune femme :

– ... tant qu'elle craindra des représailles. Allons, décidez-vous : il n'y a pas une minute à perdre.

Subjugué, M. Héraly appela M. De Mil.

– Allez au domicile de Labar, dit-il, avec deux des agents qui attendent dans la grande salle du bas. Qu'on arrête cet homme et qu'on l'amène ici aussitôt.

– Bien, dit M. De Mil.

Il se dirigea vers la porte.

– Un instant! fit Seb. Tant que vous y êtes, arrêtez aussi la sœur.

– Voyons, monsieur Soroge! protesta le juge d'instruction. Ce n'est pas possible...

L'inspecteur l'interrompit :

– Vous l'arrêterez pour faux témoignage... Et un conseil : courez en chemin.

Il se tourna vers Julie Labar :

– A présent, madame, plus rien ne vous empêche de parler.

La femme du marchand-tailleur lui jeta un regard reconnaissant.

– Oui, dit-elle, oui... Mais, quand il sera libre, il me retrouvera, il...

– S'il a tué, intervint Seb, il ne sera pas libre de sitôt... Puisque vous prétendez qu'il est le meurtrier de Viroux, votre sort est entre vos mains. Parlez.

– Eh bien, murmura la jeune femme, Viroux et moi nous devions nous enfuir ensemble, avant-hier. Tout... tout était arrangé depuis longtemps. Je devais m'en aller de chez moi vers 9 heures, le rejoindre à la gare...

– Mais, interrompit M. Héraly, votre mari...?

– Mon mari était parti en voyage, la veille, et il m'avait dit que son absence durerait trois jours... Je parvins à éloigner Berthe – j'y réussis d'autant plus facilement qu'elle était de complicité avec mon mari – et, vers 8 heures, je montai à ma chambre pour boucler la valise où j'avais jeté quelques vêtements...

Julie Labar écarta une mèche de cheveux qui pendait sur ses yeux et poursuivit :

– Comme je mettais mon manteau, devant la glace de l'armoire, j'entendis un bruit qui me fit me retourner... Mon mari et sa sœur étaient devant moi... Il y eut une scène affreuse... Je compris que Viroux, bavard comme à son ordinaire, avait dû se vanter à l'un de ses amis qu'il allait m'arracher à mon mari.

Celui-ci avait eu vent de ces propos et avait organisé une sorte de traquenard... Il n'était pas parti en voyage, il était demeuré dans le village pour m'épier et sa sœur avait sans doute été le chercher pour lui dire que le moment que j'avais choisi pour fuir le domicile conjugal était arrivé...

— Et alors? fit M. Héraly.

— Alors, comme je viens de vous le dire, il y eut entre nous une scène affreuse. Il leva la main sur moi. Je lui criai mon indignation, ma suprême lassitude. Je lui déclarai que j'en avais assez de la vie qu'il me faisait mener et que je m'en irais malgré lui. « C'est cc que nous allons voir! » me répondit-il. Puis il ordonna : « Berthe, fermez la porte! » Je m'élançai aussitôt pour la devancer, mais mon mari me rattrapa et, d'un coup de poing, me fit tomber à la renverse sur le lit... Il était dans un état de rage indescriptible, les yeux lui sortaient littéralement de la tête. « Tu vas rester ici, dit-il, et je me charge d'aller au rendez-vous que tu as donné à ton amant! Nous nous expliquerons! » Il y avait dans sa voix une si effroyable menace que je criai à mon tour : « Si vous ne me laissez pas sortir d'ici tout de suite, j'appelle au secours! » Pour toute réponse, il ricana et se jeta sur moi...

L'évocation de cette scène fit frissonner longuement la jeune femme.

— Il appela sa sœur à l'aide, reprit-elle d'une voix qui tremblait, et, à eux deux, ils me déshabillèrent de force, me passèrent une chemise de nuit. J'étais terrorisée, je me demandais ce qu'ils voulaient faire de moi. A un certain moment, je parvins à leur échapper et m'élançai vers la fenêtre. Ce n'était pas tellement pour moi que je luttais que pour Ar... que pour Viroux. La terrible colère de mon mari me faisait craindre le pire...

Elle baissa la voix :

— ... et j'avais raison de craindre!... Déjà, je touchais

l'espagnolette lorsqu'ils me saisirent à nouveau. Ils me tirèrent jusqu'à mon lit et, pendant que mon mari, une main sur la bouche, m'empêchait de crier, et de l'autre me maintenait sur ma couche, sa sœur, sortant un rouleau de corde dessous son tablier, se mit en devoir de me lier les membres. Lorsque je fus ligotée des pieds à la tête, mon mari prit une fiole dans sa poche. Ils me forcèrent à desserrer les dents et à en absorber le contenu. Je perdis bientôt conscience...

– Narcotique, commenta Seb Soroge. Continuez, madame.

– Je ne me réveillai que ce matin. Ma belle-sœur était à mon chevet. « Bonjour, ma jolie, railla-t-elle. A-t-on bien dormi? » Et elle m'apprit la mort... la mort de Viroux...

Etouffant un bref sanglot, la jeune femme continua :

– Sur ces entrefaites, mon mari entra. Il prit, à mon chevet, la place de Berthe, et il me dit avec un calme plus terrible encore, peut-être, que sa colère de l'avant-veille : « Voilà. J'ai étranglé ton amant. Cela n'a pas été très difficile. Comme tu ne te décidais pas – et pour cause! – à te rendre au rendez-vous que vous aviez fixé, il est venu rôder par ici. J'avais baissé les volets à toutes les fenêtres, la maison semblait inhabitée. Il paraissait n'y rien comprendre. Oh! il a rôdé long-temps, on voyait bien que tu lui tenais au cœur. Je l'épiais, derrière les interstices d'un volet. Quand il s'est éloigné, je suis sorti de la maison, je l'ai suivi. La Grand-Rue était déserte, j'ai bondi sur lui par-derrière, je lui ai noué un lacet autour du cou et... et tu ne le reverras plus jamais! » J'étais épouvantée, je voulus sortir de mon lit... J'avais oublié mes liens... Regardez comme ils m'ont arrangée...

Elle montrait ses poignets couverts d'ecchymoses.

– « Si je te dis tout cela, continua-t-il, c'est pour que tu saches ce dont je suis capable par amour pour toi, ce n'est pas pour que tu ailles le répéter... » Il ricana : « Hier soir, le juge d'instruction est venu ici pour t'interroger. Tu dormais comme un ange. Il n'a pas cherché à t'éveiller... Aujourd'hui, il reviendra. Il sera déjà peut-être ici tantôt. Alors, voici ce que tu vas lui dire... » Et il me dicta les paroles que je vous ai répétées...

— C'est inouï! balbutia M. Héraly.

— La veille, reprit Julie Labar, si vous aviez un peu déplacé les couvertures, vous auriez vu les liens dont il m'avait couverte. Aujourd'hui aussi, du reste. Mais vous n'avez rien remarqué...

Mortifié, le juge d'instruction fit une petite grimace. Il évitait de regarder Seb Soroge.

— Mais, dit-il, pourquoi ne pas m'avoir confié la vérité? Je vous aurais libérée tout de suite, j'aurais arrêté ces misérables...

La jeune femme secoua la tête :

— Avez-vous oublié que ma belle-sœur a assisté à mon interrogatoire? De plus, je me trouvais sous le coup des horribles menaces proférées par mon mari. « Si tu parles, m'avait-il dit, je te saignerai jusqu'à la dernière goutte! » C'est une bête féroce, monsieur. Jamais, je n'aurais osé...

Il y eut un court silence.

— Cependant, poursuivit Julie Labar, j'avais réussi, pendant les brèves absences de mes geôliers, à relâcher mes liens. Je m'appliquais, d'autre part, à épier tous les bruits familiers de la maison. A un certain moment, j'entendis la porte de la rue se refermer. Un peu avant, un autre bruit m'avait appris que ma belle-sœur travaillait dans la cour. Je pensai que l'instant était bien choisi. Au prix d'efforts inouïs, je parvins à me débarrasser de mes entraves, je sautai de mon lit, me chaussai rapidement, m'enveloppai dans un de mes manteaux, et m'enfuis comme une folle pour venir ici... Voilà... Voilà, vous savez tout... Vous allez l'arrêter, n'est-ce pas?

Il y avait, dans sa voix, une angoisse inexprimable.

– Bien entendu! repartit M. Héraly. Et permettez-moi de vous remercier, madame. Grâce au courage dont vous avez fait preuve tantôt, le meurtre de... de votre ami et celui de M. Gyther ne resteront pas impunis.

– Pourquoi dites-vous, interrogea Seb, celui de votre ami... et celui de M. Gyther?

Le juge d'instruction regarda l'inspecteur avec étonnement.

– Je pensais, dit-il, que vous aviez compris que...

– Compris quoi?

Alors, M. Héraly se redressa.

– Je vais vous expliquer! fit-il. Pendant que madame nous contait sa lamentable odyssée, j'ai été soudain éclairé sur les mobiles qui ont poussé Labar à commettre ce second meurtre...

– Vraiment? dit Seb. Et quels sont-ils, selon vous?

– Tout cela est clair comme le jour, repartit le juge d'instruction, et je m'étonne que vous, monsieur Soroge... M. Gyther était pharmacien, l'avez-vous oublié?

– Non, fit l'inspecteur.

– Dans ce cas, vous avez dû oublier que l'on a parlé devant lui, au Cheval-Blanc, de l'étrange sommeil de madame et que c'est à ce moment qu'il est sorti précipitamment du café?

– Je sais, fit Seb.

– Mais alors?... C'est lumineux! Qui a vendu, à Labar ou à sa sœur, le narcotique qui a servi à plonger madame dans un sommeil artificiel et... opportun? M. Gyther! On s'entretient en sa présence de la visite que j'ai rendue au marchand-tailleur, on lui dit pourquoi je n'ai pu interroger sa femme... Il se souvient avoir vendu ce narcotique, il comprend l'usage que

Labar en a fait... Il accourt ici pour me le dire et Labar, qui le guettait, le tue!

M. Héraly se carra sur son siège :

– Eh bien, qu'en pensez-vous?

Seb Soroge tira deux ou trois bouffées de sa pipe.

– Ce n'est pas mal raisonné, répondit-il. Certainement, il faut voir là la raison pour laquelle feu M. Gyther désirait vous parler de toute urgence – mais non celle pour laquelle il a été tué.

– Ah, ça, répliqua le juge d'instruction, vous admettez bien que Labar est coupable du meurtre de Viroux?...

– Peut-être...

– Peut-être! Et qu'il est coupable du meurtre de Gyther, vous l'admettez aussi?

– Non.

– Non?...

– Non. Tout au moins, je ne l'admets pas encore.

– C'est trop fort! s'écria M. Héraly. Qu'avez-vous besoin d'aller chercher midi à quatorze heures? Arrêté, Labar nous expliquera lui-même la raison pour laquelle il a commis ce second meurtre.

– Le ferait-il, répliqua Seb, que je ne m'estimerais pas convaincu...

Le juge d'instruction leva les bras au plafond.

– Ça alors! s'écria-t-il.

Son regard chercha celui de M. Hanon :

– Pour moi, dans tous les cas, lorsque l'arrestation du marchand-tailleur et de sa sœur sera chose faite, j'estimerai cette affaire terminée...

Seb Soroge haussa les épaules.

– A mon tour, fit-il, de vous demander si vous n'oubliez pas quelque chose? N'est-ce pas moi qui vous ai conseillé de vous assurer de la personne de Labar et de sa sœur sans perdre une minute?

Il sourit.

– Au demeurant, croyez bien que je suis au moins aussi impatient que vous de voir liquider cette affaire.

Vous êtes marié, monsieur Héraly. Je suis fiancé. Ça fait tout de même une petite différence...

— Fiancé? Mes félicitations, cher ami! intervint le substitut. Je suis, quant à moi, du même avis que M. Héraly. Grâce à madame, nous connaissons le mot de l'énigme. A votre place, j'annoncerais tout de suite, par télégramme, mon retour à ma fiancée...

— Souffrez que je n'en fasse rien, répliqua Seb, avant que nous n'ayons découvert l'auteur de tous ces crimes...

— Quels crimes? s'écria M. Héraly.

Seb Soroge vida sa pipe contre le talon de son soulier.

— Ceux, dit-il, imperturbable, qui ne vont pas tarder à être commis.

XII

BONNE AVENTURE

Les ombres de la nuit, une à une, comme des voiles de deuil, descendaient sur la route. Guido alluma une lampe à pétrole et acheva de masquer l'ouverture d'un carreau cassé avec un morceau de papier huilé. Il se pencha pour mieux respirer le fumet de la soupe que sa femme, ses enfants autour d'elle, préparait à l'entrée de la seconde roulotte, puis il referma la fenêtre.

A ce moment, on frappa à la porte deux petits coups discrets.

Guido, sa lampe au poing, alla ouvrir et il aperçut une haute silhouette noire se profiler sur le ciel nocturne.

Il fut surpris en entendant l'inconnu s'exprimer d'une voix timide et basse :

— Peut-on entrer?...

Guido leva sa lampe un peu plus haut et le visage de

l'homme surgit de l'ombre. La lumière fit étinceler, une seconde, les verres de ses lunettes.

– Que voulez-vous? fit Guido.

Il avait faim et, lorsqu'il avait faim, il se montrait moins affable qu'à l'ordinaire.

– Je voudrais..., dit l'inconnu.

Il parut hésiter et acheva d'une voix sourde :

– ... vous consulter.

– Pour le grand jeu, c'est vingt francs, dit Guido.

– C'est bien. Je... Je paierai ce qu'il faudra. Laissez-moi entrer.

Guido s'effaça et l'homme, courbant sa haute taille, se glissa dans la roulotte. Il le fit rapidement, en oblique, après avoir jeté, à droite et à gauche, des regards furtifs, comme s'il craignait d'être vu, qui sait? reconnu.

Le Bohémien repoussa la porte d'un coup de pied et alla jusqu'à la petite table boiteuse, qui se trouvait au milieu de la voiture, et sur laquelle il posa sa lampe. La perspective d'avoir affaire à un monsieur qui « paierait ce qu'il faudrait » l'empêchait seule de donner libre cours à sa mauvaise humeur.

– Asseyez-vous, dit-il.

L'homme attira à lui un petit tabouret et s'installa face à Guido. Celui-ci déplaça un peu la lampe et put alors examiner l'inconnu tout à son aise.

Il était grand, nous l'avons dit, mais son buste paraissait peu développé, étriqué. Il portait un costume noir, un col à coins cassés et une cravate brune, mal nouée, zigzaguait sur sa chemise blanche. Ses mains, longues et maigres, sur le dos desquelles sinuait le réseau bleu des veines, étaient à demi cachées par des manchettes empesées.

Depuis quelque trente ans que Guido, un peu sous tous les ciels, lisait dans l'avenir de ses contemporains, il n'avait pas été sans acquérir suffisamment d'expérience pour toujours ouvrir ses yeux tout grands sur le présent. Il avait appris à juger ses clients d'après leur mise, leur visage, leurs paroles. Il ne s'aventurait jamais à faire parler les cartes avant d'avoir fait parler ceux qui venaient le trouver. Oh! ils n'avaient pas besoin de parler beaucoup... Guido les repérait très vite, les classait, leur assignait dans l'existence un rôle qui, le plus souvent, était bien le leur. Deux ou trois détails suffisaient à l'empêcher de commettre des impairs.

« Celui-ci, pensa-t-il, craint le qu'en dira-t-on. Sa façon de pénétrer ici était caractéristique, de même que sa hâte et sa façon de couper court à toute discussion à propos de la question d'argent. De plus, il est venu me trouver « entre chien et loup », à la tombée de la nuit, alors qu'il avait le plus de chances de ne rencontrer personne, de n'être pas reconnu... Peut-être occupe-t-il une situation importante dans ce village? »

Tout en battant les cartes, Guido continuait d'examiner l'inconnu à la dérobée :

« Toutefois, je le crois fort capable de fantaisie... Sa cravate en témoigne. Son costume, son chapeau sont d'un homme d'ordre, au contraire de cette cravate... S'il est venu me trouver, c'est à cause d'elle... Elle est l'indice d'une certaine naïveté, d'un certain penchant pour le merveilleux... Il se peut aussi que, seule, cette cravate soit sincère, que le costume, le chapeau et le reste aient été imposés par les circonstances, l'habitude, ou les nécessités quotidiennes... Pour que cet homme soit venu à moi, sans doute faut-il qu'il ait perdu son équilibre, qu'il traverse une crise, qu'il cherche la vérité, qu'il ait une décision à prendre et qu'il ne sache laquelle prendre... »

On voit par ces réflexions que le Bohémien ne laissait pas que d'être psychologue à ses heures; son don de double vue, comme pour la plupart des cartomanciens, des fakirs et des « mages », n'était autre chose qu'une connaissance approfondie de l'âme humaine.

« Cet homme, se dit-il encore, est un intellectuel. Tout, en lui, le proclame : ses yeux faibles, ses mains aux ongles soignés, sa carrure. Celle-ci, en effet, quoique d'un gaillard fort et bien bâti, n'a pas été développée par les sports. La poitrine, au contraire, est rentrée, par suite des longues et multiples heures de travail qui ont courbé son possesseur sur une table basse. Ce doit être quelque fonctionnaire, quelque notaire ou quelque avocat à ses débuts... Et qu'il a l'air troublé!... »

– Coupez, dit Guido.

L'inconnu avança une main.

– Non, de la main gauche.

Le Bohémien commença à disposer les cartes devant lui, par petits paquets symétriques.

– Que désirez-vous savoir? demanda-t-il.

– Mais..., fit l'autre. Je... Vous me direz ce que vous voyez.

– Naturellement. Mais qu'est-ce qui vous intéresse spécialement? La question de fortune, de situation, d'amour?

L'homme remua sur sa chaise, mal à l'aise.

– Euh..., murmura-t-il.

– Inutile de me répondre, trancha Guido avec un rire silencieux. J'ai compris.

« S'il se fut agi de fortune ou de situation, pensa-t-il, il se serait empressé de me le dire. Reste l'amour... Ainsi, c'est pour cela que cet homme sérieux s'est résolu à faire appel à mes lumières... J'aurais dû m'en douter tout de suite! »

Bientôt, les cartes retournées offrirent, entre les deux hommes, leur magie. Au centre de la roulotte obscure où les objets, dans les coins d'ombre, prenaient les apparences de monstres accroupis, sur la petite table boiteuse, inondés par la lumière douce de la lampe à pétrole, dames et rois, vêtus d'hermine, de pourpre et d'or, resplendissaient. Les valets, autour de leur bonheur tranquille, montaient une garde fidèle, les uns portant leur cœur, les autres portant le deuil de la dame qu'ils enviaient à leur roi.

– Mariage, dit Guido. Vous aimez une brune...

Machinalement, l'inconnu baissa la tête. Il la baissa plusieurs fois, comme s'il s'apitoyait sur son propre sort, comme s'il se jugeait, parce qu'il aimait une brune, le plus malheureux des hommes.

« Ho! Ho! songea Guido. Cette idylle n'a pas l'air d'aller toute seule... »

– Votre amour est-il payé de retour? fit-il. Je ne sais. Mais... Attendez...

Un valet de pique surgit sous ses doigts prestes :

– C'est cela... Vous avez un rival, cher monsieur...

Comme il n'était pas certain que l'inconnu eût pâli, il insista :

– Un dangereux rival...

L'homme émit une petite toux sèche et interrogea avec effort :

– Ne... Ne voyez-vous plus rien? Est-ce que...?

Mais Guido n'aimait pas se compromettre :

– Ma foi, dit-il, je crois que vos chances sont égales... Attendez, voici un cœur... Ah! il est de votre côté... Mais en voici un autre – et qui n'est pas pour vous, cette fois... Encore un autre...

– Qu'est-ce que... Qu'est-ce que cela veut dire?

– Cela veut dire, selon toute apparence, que vous êtes plus près de la belle que vous ne croyez... Vos chances paraissent même un peu plus sérieuses que celles de votre adversaire, à condition, toutefois, que vous en profitiez sans attendre... Sinon, c'est lui qui deviendra l'heureux élu...

– Oui, oui, fit l'inconnu d'une voix rauque. Vous avez raison... raison... Je devrais agir...

Guido retournait les dernières cartes de son paquet :

– Qu'est-ce que cela? s'écria-t-il.

Il regarda son interlocuteur bien en face :

– Un danger menace celle que vous aimez... Un grand danger... Le saviez-vous?

Les mains de l'homme frémirent au bord de la table :

– Un... Un grand danger, dites-vous?...

– Oui, fit Guido. Celle que vous aimez court un perpétuel danger... Un danger de mort...

Sa voix trembla.

Car Guido avait ceci de remarquable, au contraire de la plupart des gens de son espèce qui font profession d'exploiter la crédulité publique, qu'il se laissait chaque fois prendre à son propre jeu, qu'il croyait lui-même au pouvoir et au sens divinatoire des cartes. S'il était rusé, s'il se gardait de laisser échapper la moindre observation susceptible de l'aider à porter un jugement sur l'un de ses clients, la superstition, au même titre que la foi de ses pères, n'en avait pas moins prise sur lui comme sur la plupart de ses compatriotes. Aussi, lorsque, comme en cet instant, c'était le visage de la mort qui apparaissait sur le profil haut en couleurs des tarots, il se sentait chaque fois, lui-même, bouleversé.

– Mais... vous aussi, reprit-il, vous vous trouvez en péril... Un même péril vous menace, elle et vous...

Il se passa soudain la main sur le front, son regard lourd pesa sur celui de l'inconnu :

– N'est-ce pas normal?... Tout le monde, dans ce village, est en danger de mort depuis l'avant-dernière nuit...

Il répéta avec une sorte d'accablement :

– Tout le monde...

A ce moment, un bruit lui fit tourner la tête.

– Avez-vous entendu? fit l'inconnu.

Il ajouta d'une voix blanche :

– Je crois qu'on a frappé.

Les deux hommes demeurèrent immobiles un instant.

Dans le silence, le même bruit, trois fois répété, et plus fort, se fit entendre.

– Il y a quelqu'un à la porte, dit Guido. Je vais voir...

Il prit la lampe et se dirigea vers l'entrée de la roulotte.

L'inconnu resta dans l'ombre. D'un œil atone, il avait suivi, sur ses mains, sur ses genoux, sur le bord de sa chaise, la fuite de la lumière. Comme le Bohémien ouvrait la porte, il recula encore son siège.

– Qui est là? fit Guido.

– Quelqu'un qui désire vous parler, répondit une voix nette.

– Me parler... à propos de quoi?

– De votre patente, d'abord. Et de quelques autres choses.

– Qui êtes-vous?

– Inspecteur de police Seb Soroge. Otez-vous de là que je puisse entrer.

Dans l'ombre qui le cachait dans ses plis profonds, l'inconnu fit un mouvement brusque. Il était maintenant si près de la cloison de la roulotte qu'il paraissait chercher à passer au travers.

– Je regrette, répondit Guido. Vous ne pouvez pas entrer.

– Vraiment? Et pourquoi pas?

– Il y a là une personne qui est venue me consulter. Or, tous mes clients sont assurés de ma discrétion... Je ne puis vous mettre en présence l'un de l'autre.

Il y eut un silence.

– Dans ce cas, reprit la voix de l'inspecteur, descendez sur la route. Nous serons très bien ici pour bavarder. Vous vous assoirez sur ce tronc d'arbre et moi sur les marches de l'escalier. Votre client s'en ira après mon départ.

– Pardon, objecta Guido. Il est peut-être pressé et nous ne pouvons l'empêcher de...

– Tant pis pour lui! interrompit la voix autoritaire. S'il tient à ne pas être reconnu, qu'il reste là un moment encore. Moi non plus, je n'ai pas de temps à perdre...

– Un instant, dans ce cas, fit le Bohémien. Je vais poser ma lampe et je vous rejoins.

Il rentra dans la roulotte et ferma la porte derrière lui. L'inconnu, immobile, le vit s'approcher avec la lampe qui faisait danser, sur les cloisons, de grandes ombres désordonnées.

– Vous avez entendu? interrogea Guido, son visage proche de celui de l'homme.

– Oui.

– Vous ne pourrez vous en aller avant un moment. A moins que cela vous soit égal de...

L'inconnu secoua la tête :

– J'attendrai qu'il soit parti.

– A votre aise.

Le Bohémien avait posé la lampe sur la table. Il s'éloigna, se retourna :

– C'est sûrement à cause de ces crimes... Je tâcherai d'en avoir fini avec lui aussi vite que possible.

Il n'obtint pas de réponse, sortit et referma la porte.

L'inconnu restait seul. Il poussa un profond soupir et, d'une main qui tremblait un peu, il régla la lampe qui s'était mise à fumer. Son regard tomba sur un vieux volume à couverture verte posé au bord de la table.

Il s'en saisit, l'ouvrit au hasard et, le rapprochant de la lumière, il se mit à lire :

A minuit sonnant, au croisement de deux chemins, tu fendras en deux le corps de la poule noire qui n'a jamais pondu...

XIII

SEB SOROGE DONNE UN CONSEIL

Relevant ses lunettes sur son front, l'inconnu rapprocha le volume de son visage, s'accouda à la table et reprit sa lecture en partant du haut de la page :

A minuit sonnant, au croisement de deux chemins, tu fendras en deux le corps de la poule noire qui n'a jamais pondu. – Et tu prononceras les mots magiques : « Eloïm, Essaim, frugativi et appellari » qui feront apparaître l'esprit immonde. – Et il sera vêtu d'un habit d'écarlate galonné, d'une veste jaune et d'une culotte vert d'eau. – Et sa tête, qui ressemblera à celle d'un chien à oreilles d'âne, sera surmontée de deux cornes; et ses jambes et ses pieds seront comme ceux d'une vache. – Et il te demandera tes ordres...

L'inconnu releva la tête, prêta un instant l'oreille aux bruits venus du dehors, essuya du dos de la main son front ruisselant de sueur :

Et tu les lui donneras comme tu le jugeras bon, car il ne pourra plus se refuser à t'obéir. – Et tu pourras te rendre le plus riche et, par conséquent, le plus heureux des hommes.

Humectant son pouce, l'homme fit tourner la page. Il lut :

Main de Gloire. – Tu prendras le poil d'une jument baie. – Et tu l'enfouiras dans un pot de terre neuf. – Et tu t'écrieras : « Ata Ater Ata. » – Et il naîtra sur-le-champ un petit serpent que tu nourriras de son. – Et, par une nuit de pleine lune, tu le mettras dans une boîte avec une somme d'argent. – Et tu t'écrieras, sur les minuit : « J'accepte le pacte. » – Et, trois heures plus tard, tu ouvriras la boîte. – Et la somme d'argent sera doublée.

L'homme lut encore : *Et prends bien garde de n'oublier aucune circonstance car il n'y a point raille-*

rie en cette affaire, il fit retomber ses lunettes sur son nez, referma le livre et se leva. Debout, il touchait presque de la tête le plafond de la roulotte. Il ressemblait ainsi à quelque échassier craintif, à quelque héron ou quelque flamant aux aguets. Et quand il marcha vers la porte à pas mesurés, la ressemblance s'accentua...

Le front, son haut et large front, touchant le vantail, l'homme prêta l'oreille. Dans le grand silence de la nuit, les paroles échangées entre l'inspecteur Soroge et Guido lui parvenaient claires, distinctes.

Tout en écoutant, l'inconnu frottait nerveusement ses mains l'une contre l'autre. La sueur continuait à ruisseler sur son front. D'un geste machinal, il décrocha de la cloison un foulard de couleur qu'il se mit à pétrir fébrilement.

L'inspecteur Soroge se pencha vers Guido, le regarda en face et lui posa enfin, d'une voix nette, la question qui lui brûlait les lèvres, qui l'avait incité à joindre le Bohémien :

— Et quel jour, dites-moi, avez-vous établi ici votre campement ?

Guido eut une imperceptible hésitation avant de répondre :

— Le 10, dans la journée.

Seb Soroge haussa les épaules; son regard perçant avait remarqué l'hésitation de son interlocuteur.

— Erreur, Guido! dit-il. Ce n'est pas le 10, c'est le 11 dans la journée, que vous êtes arrivé ici... Et c'est le 11, dans la nuit, que le commis voyageur a trouvé la mort...

Le Bohémien, troublé, secoua la tête.

— Vous vous trompez, commença-t-il, je...

Soroge l'interrompit :

— Cinq témoins sont prêts à déclarer, sous la foi du serment, qu'il n'y avait encore aucun campement de bohémiens, le 10, à Sainte-Croix...

C'était du bluff, ces témoins n'existaient que dans

l'imagination de l'inspecteur, mais leur redoutable évocation acheva de déconcerter Guido.

– En effet, dit-il d'une voix rauque. Maintenant que vous me le faites remarquer, monsieur l'inspecteur, c'est bien le 11 au matin que je suis arrivé ici...

Seb. Soroge hocha le chef :

– Je crains que vous ne vous trompiez encore, Guido! Ce n'est pas le 11 au matin, c'est le 11 dans l'après-midi...

– Dans l'après-midi, répéta le Bohémien. Vous avez, ma foi, raison.

– Et vous, vous m'avez, ma foi, menti! répliqua l'inspecteur.

Du regard, il pesa l'homme :

– Combien de condamnations... jusqu'à maintenant?

Guido fit un mouvement brusque :

– Aucune.

– Combien?

Le Bohémien baissa la tête.

– Allons, parle!

– Eh bien... une.

– Seulement? Et le motif?... Vagabondage?

La voix de Guido se fit plus basse encore pour répondre :

– Exercice illégal de la médecine.

Il y eut un silence. Puis :

– Ta patente?

– Elle est en règle.

– Montre.

Guido releva la tête :

– Elle est là-dedans...

Du pouce, il montrait la roulotte.

– Va me la chercher.

Précipitamment, Guido gravit les marches de bois. Dans la roulotte, il se cogna à son bizarre client.

– On vous fait des ennuis? interrogea ce dernier à voix basse.

Mais il n'obtint pas de réponse.

Quand le Bohémien fut ressorti, l'inconnu reprit sa faction près de la porte. En même temps, il pensait : « Je me demande pourquoi ce Guido a menti. Il n'y avait nul intérêt. Rien de plus facile à contrôler que ses déclarations. C'est à plaisir, semble-t-il, attirer sur soi les soupçons... Je me demande pourquoi il a fait cela. »

Guido, en épiant l'inspecteur du coin de l'œil, se le demandait lui-même. Il avait obéi à une impulsion. L'homme qui a eu déjà maille à partir avec la justice est plus qu'un autre enclin à chercher à abuser ses représentants, surtout lorsque, comme dans le cas présent, il se voit à nouveau, malgré lui, plus ou moins compromis. Spontanément, Guido, quand on l'avait interrogé, avait pensé : « Le 11 » et avait répondu : « Le 10 » – comme il eût, s'il avait pensé : « Le 10 », répondu tout aussi spontanément et naturellement : « Le 11 ». Mouvement réflexe qui trahit en général son auteur.

– Prenez, fit Seb Soroge.

Négligemment, il tendait au Bohémien la fameuse patente, examinée sous tous ses angles.

L'inspecteur, les mains aux genoux, se leva du tronc d'arbre sur lequel il s'était assis. Il jeta à Guido un regard aigu.

– Les routes, dit-il lentement, ne sont pas encombrées pendant la nuit. L'air est frais, il fait bon marcher. Ici, grâce à toi, chacun en sait assez et plus sur son avenir et sur celui de ses proches... A ta place, j'irais voir ailleurs...

Guido pencha la tête :

– C'est un conseil, monsieur l'inspecteur?

Seb Soroge lui tourna le dos.

– Parfaitement, fit-il. Et, demain, ce pourrait être...

– ... un ordre, acheva Guido. J'ai bien compris.

Il ajouta :

— Avec votre permission, monsieur l'inspecteur, j'attendrai l'ordre.

Seb Soroge ne répondit pas. Rien n'indiqua qu'il avait entendu. A grands pas, il s'enfonça dans la nuit.

Dix minutes plus tard, une ombre oblique se glissait hors de la roulotte. Elle se dirigea vers le village, marchant sans se retourner.

Si elle l'avait fait, le premier tournant de la route franchi, elle eût sans nul doute aperçu la silhouette d'homme, surgie de la sapinière proche, lui emboîter le pas. Cette silhouette était celle de l'inspecteur Seb Soroge qui n'avait pu se résigner à aller se coucher en ignorant l'identité du mystérieux client de Guido.

L'un suivant l'autre, l'inspecteur et l'inconnu atteignirent enfin les premières maisons de la Grand-Rue. Soroge consulta son bracelet-montre. « 9 heures », murmura-t-il. Des lumières, çà et là, brillaient aux fenêtres.

L'inspecteur distingua soudain une porte ouverte sur un vestibule éclairé, il perçut une voix féminine et une ombre gracieuse s'avança au-devant de l'homme qu'il suivait :

— Bonsoir, monsieur Mascaret.

Soroge s'était dissimulé dans une encoignure. Il tendit le cou.

— Bonsoir, Edmée, répondit l'instituteur d'une voix embarrassée.

La jeune fille fit entendre un rire clair.

— Je vous y prends, s'écria-t-elle, à venir rôder autour de ma demeure, monsieur mon amoureux!... Ne craignez-vous donc pas de tomber sous les coups du mystérieux assassin qui terrorise ce pauvre petit village et toutes les pauvres petites filles qui l'habitent?

M. Mascaret avait ôté son chapeau et avait fait un pas vers la fille du Dr Hye.

— Edmée, dit-il d'une voix contenue, je vous ai déjà

priée de ne pas me parler de la sorte. Vous avez vingt ans, vous n'êtes plus une enfant, et moi... Moi, je ne suis pas votre amoureux!

Il fit encore un pas et ajouta à voix basse :

— Parlez ainsi, si vous le voulez, à M. Pellerian...

Il toussa :

— Est-ce que vous comptez vous fiancer avec lui?

La jeune fille chercha le regard de son interlocuteur :

— Pourquoi me demandez-vous cela?

— Pour rien, répondit M. Mascaret.

— Ah! fit-elle.

Elle ajouta :

— Je croyais que c'était parce que vous vous intéressiez à moi?

Il parut hésiter.

— Eh bien, c'est cela, dit-il avec effort. Je vous l'ai demandé parce que je m'intéresse à vous.

Edmée sourit. Elle posa la main sur le bras de l'instituteur :

— Que vous êtes bizarre... Olivier!

A ces mots, une rougeur violente, subite, envahit les joues de M. Mascaret.

— Ne m'appelez pas comme cela! fit-il d'une voix sourde.

— Pourquoi pas? Vous avez un joli nom...

Mais, sans plus répondre, il s'enfuit à grands pas.

Edmée le regarda s'éloigner, puis, lorsqu'il eut disparu, elle franchit le seuil de la maison.

Elle repoussa la porte, la ferma à clef et y demeura un long instant appuyée.

— Olivier..., murmura-t-elle.

XIV

AVEC UN CŒUR PLEIN D'AMOUR

La demie de 9 heures sonnait quand l'inspecteur Seb Soroge pénétra dans la maison communale. Il se heurta, dans le couloir, à M. Hanon, un M. Hanon affairé, coiffé et boutonné tout de travers.

– Ah, vous voilà! s'écria ce dernier. Alors, ils sont arrêtés?

– Qui ça?

– Labar et sa sœur.

– Je n'en sais rien... J'arrive...

Les deux s'étaient lancés dans l'escalier.

– On est venu me chercher à mon hôtel, haleta M. Hanon. Il paraît qu'ils ont été pincés à la gare de Bruges...

Effectivement, c'était en gare de Bruges que le marchand-tailleur et sa sœur avaient été appréhendés par deux inspecteurs. Lorsque M. De Mil, le greffier, qu'escortaient deux agents, s'était présenté au domicile de Labar, il avait trouvé la maison vide; sans doute, le tailleur ou sa sœur était-il monté à la chambre de la belle Julie et, voyant le lit vide, avait-il deviné où la jeune femme s'était enfuie et quelles conséquences quasi immédiates allait avoir pour eux cette évasion. Le couple, réunissant en hâte quelques hardes, s'était donc enfui à son tour... Pour où? M. De Mil ne prit guère le temps de se le demander; il se précipita au téléphone et commença à alerter les postes de police des villes voisines. On l'avisa bientôt, de Bruges, que Labar et sa sœur venaient d'être arrêtés; aussitôt embarqués dans une voiture de la police, ils avaient été ramenés à Sainte-Croix pour être mis à la disposition du procureur du roi; en attendant l'arrivée de celui-ci, c'était M. Héraly qui, selon une de ses expressions favorites, en avait « pris livraison ».

Surveillés du coin de l'œil par un agent à l'imposante carrure, Labar et sa sœur étaient assis, menottes aux poings, près de la fenêtre. Ils avaient la tête baissée, leurs regards étaient mornes et lourds, ils paraissaient tous deux accablés par la fatalité.

– Vous enfin! s'écria M. Héraly en se levant à l'entrée du substitut et de l'inspecteur. Où étiez-vous donc passé? ajouta-t-il, s'adressant à Soroge.

– Sans doute, répondit ce dernier avec un sourire, si je vous déclarais que je me suis fait dire ce qu'on a coutume d'appeler « la bonne aventure », ne me croiriez-vous pas? Telle est cependant l'absolue vérité, j'ai interrogé l'oracle et il m'a répondu...

Le juge d'instruction haussa les épaules : les manières de l'inspecteur lui portaient sur les nerfs.

– Eh bien, pendant ce temps-là, fit-il non sans acrimonie, *mes* hommes (il appuya sans mesure sur l'adjectif possessif) arrêtaient ces misérables comme ils s'apprêtaient à prendre, en gare de Bruges, le train pour Bruxelles. Ils ont...

Interrompant d'un geste son interlocuteur, Seb Soroge se pencha vers lui et demanda à voix basse :

– Les avez-vous interrogés?

– Non, j'allais le faire... Il ne faut pas, dans tous les cas, leur laisser le temps de se retourner... Je vais commencer par Labar...

Il éleva la voix :

– Bourdot, voulez-vous emmener cette femme et la faire attendre dans la pièce à côté? Vous me l'amènerez lorsque je vous appellerai.

– Bien, monsieur le juge.

L'agent Bourdot saisit Berthe Labar par un bras et l'entraîna.

Il y eut un silence. Quand sa sœur s'était levée de sa chaise et avait quitté la pièce, Antoine Labar n'avait même pas tourné la tête. M. Hanon, lui, s'étant débarrassé de son pardessus et de son chapeau, avait, une fois de plus, pris sa pose favorite, jambes légèrement écartées et mains aux entournures de son gilet; il s'était placé derrière le petit M. De Mil qui sentait avec gêne le regard du magistrat peser sur la feuille blanche qu'il avait devant lui.

M. Héraly toussota avec distinction et, après avoir échangé un bref coup d'œil avec le substitut, il avança le cou, plissa les paupières et posa la question suivante :

– Antoine Labar, vous reconnaissez-vous coupable du meurtre d'Aristide Viroux?...

Le marchand-tailleur ne releva la tête et ne consentit à répondre que lorsque le juge d'instruction eut répété cette question pour la troisième fois, sur un ton particulièrement irrité.

– Non, dit-il d'une voix sourde.

– Quoi! s'écria M. Héraly. Vous n'allez pas nier, à présent? Vous avez déclaré à votre femme que vous aviez assassiné Viroux. Son témoignage est formel sur ce point.

Labar secoua la tête avec lassitude.

– Je n'ai pas tué Viroux, dit-il.

– Mais, encore une fois, vous avez déclaré à votre femme que vous l'aviez fait! Est-ce vrai?

– C'est vrai.

– Alors?...

Sans répondre, le marchand-tailleur se prit le front dans les mains. Il y eut un nouveau silence, plus long que le premier.

Soudain, la voix de Seb Soroge retentit, métallique :

– Où étiez-vous en 15?

Labar leva vivement les yeux. Il n'hésita qu'un instant avant de répondre :

– A Steenstraete.

– Aux grenadiers?

– Non. Au 1er carabiniers.

– Avez-vous encore d'autres questions à poser, inspecteur? intervint M. Héraly.

Sa voix était sèche :

– Ou puis-je continuer?

Seb Soroge ne se démonta pas.

– Vous pouvez continuer, fit-il.

– Merci! persifla le juge d'instruction.

Il se carra sur son siège :

– Et du meurtre d'Arthur Gyther, Antoine Labar, vous reconnaissez-vous coupable?

– Grand Dieu! s'écria le marchand-tailleur.

Il s'était levé d'un bond :

– Mais vous êtes fou!...

Les joues ordinairement pâles de M. Héraly s'empourprèrent.

– Surveillez vos expressions, cria-t-il, ou il pourrait vous en cuire!

Labar, aussitôt levé, s'était rassis.

– Après tout, dit-il, ça m'est égal. Si cela vous chante, accusez-moi de ce crime-là aussi...

Ses épaules oscillèrent et il se tourna vers le substitut du procureur du roi qui suivait avec intérêt les phases de l'interrogatoire :

– Mais est-ce que... M'accorderiez-vous une faveur?... Je voudrais voir ma femme!...

– Impossible, intervint M. Héraly. Du moins pour le moment. Quand vous nous aurez dit la vérité, toute la vérité, on... Eh bien, on verra.

Labar fit un mouvement brusque :

– Je n'ai tué personne, voilà la vérité!

– Alors, pourquoi avoir pris la fuite avec votre sœur? Pourquoi avoir séquestré votre femme, être allé à sa place au rendez-vous qu'elle avait pris avec Viroux, vous être vanté auprès d'elle d'avoir étranglé le commis voyageur? Faudra-t-il recourir...

M. Héraly se mordit les lèvres. Il voulait dire : « Faudra-t-il recourir à une confrontation? » Mais confronter Labar et la belle Julie, c'était, en somme, réaliser le vœu du marchand-tailleur; il fallait renoncer à ce projet si l'on voulait conserver un moyen de pression sur l'homme.

– Pourquoi? dit lentement Labar. Vous me demandez pourquoi j'ai fait cela?...

Un frémissement le parcourut tout entier, il fit entendre un bizarre son de gorge et murmura dans un souffle :

– Je l'ai fait... par amour!

Seb Soroge détourna brusquement la tête en même temps qu'il se sentait frissonner. Comme Labar avait dit cela! Comme il avait bien dit cela! Avec quelle ardeur, quelle passion contenues! Certainement, cet homme était capable de tuer, de détruire tout un village avec un cœur plein d'amour. Cet amour-là était plus dangereux, plus fatal que de la haine, et Soroge, à qui ses fiançailles avaient ouvert un monde nouveau, ne put s'empêcher de plaindre intérieurement le marchand-tailleur de posséder à la fois, grâce à son cœur, tous les dons qui vous attirent les femmes et, grâce à son visage disgrâcié, toutes les tares physiques qui les rebutent.

M. Héraly fit entendre un petit ricanement.

– Fort bien, dit-il ensuite. Je vous crois, Labar. Vous avez pu faire cela par amour... Mais, pour la même raison, vous avez pu tuer aussi!

L'homme secoua la tête.

– Je n'ai pas tué, répéta-t-il avec accablement. Ne vous ai-je pas déjà fourni un alibi? Je...

– Alibi sans valeur! trancha le juge d'instruction. Votre sœur sera poursuivie pour faux témoignage. Vous avez eu toutes possibilités, j'en suis certain, d'aller, l'avant-dernière nuit, tuer Viroux dans la Grand-Rue.

– Berthe n'a pas menti, répliqua Labar. Je ne suis pas sorti, l'autre nuit, sinon au début de la soirée. A 11 heures, je me trouvais au chevet de ma femme...

Le crayon avec quoi jouait M. Héraly lui échappa des doigts.

— Et pourquoi, interrogea-t-il, auriez-vous arrangé cette malheureuse comme vous l'avez fait, sinon pour l'empêcher de prévenir Viroux de vos criminels desseins?

— Pardon! rétorqua Labar. C'est moi qui ai mis ma femme au courant de mes « criminels desseins », comme vous dites. Et personne ne m'y forçait! Si j'avais eu réellement l'intention de tuer Viroux, je n'en aurais pas averti ma femme, pas plus, d'ailleurs, que je ne lui aurais avoué l'avoir fait, *après*... Mon intention était de l'intimider, c'est tout. J'avais essayé de la douceur pour la reconquérir... Vainement! Je pensai alors que les menaces auraient peut-être plus d'effet. Il y a des femmes qui aiment les coups... J'ai cru aussi, un instant, qu'elle serait touchée par la profondeur de mon amour lorsque je lui avouerais avoir tué pour elle... Je jouais la comédie lorsque, tout en l'attachant sur son lit, je lui jurais que j'allais étrangler Viroux – et je mentais lorsque, à son réveil, je lui dis être arrivé à mes fins, lorsque je lui déclarai imprudemment être l'auteur du crime... Je n'imaginais pas qu'elle pût s'enfuir et m'accuser...

M. Héraly avait recommencé à jouer avec son crayon.

— J'admire votre présence d'esprit, fit-il. Votre présentation des faits est très ingénieuse, très... Mais il y a des *trous*, Labar! Je serais heureux, par exemple, de vous entendre m'expliquer pourquoi vous avez fait absorber un narcotique à votre femme... Etait-ce donc aussi pour l'intimider, pour la reconquérir, pour gagner à nouveau le chemin de son cœur?... Allons, parlez!

Labar hocha le chef.

— Si je ne l'avais pas endormie, répondit-il, elle eût ameuté tout le voisinage par ses cris. Il eût été cruel, d'autre part, de la laisser bâillonnée toute la nuit... Je voulais lui donner une sévère leçon mais non pas la torturer pendant des heures.

– Hum! fit le juge d'instruction. Et, en admettant que vous disiez vrai – ce que, notez-le bien, je n'admets pas –, n'avez-vous donc pas réfléchi au danger qu'il y avait pour vous à vous accuser d'un crime que vous n'aviez pas commis?

– Je ne croyais pas que ma femme réussirait à s'enfuir. Je comptais, naturellement, lui dire la vérité avant de lui rendre la liberté.

– Et par qui avez-vous... auriez-vous appris le meurtre de Viroux?

– C'est ma sœur qui me l'a annoncé, le lendemain matin, en revenant du marché. Tout le monde en parlait dans le village...

– Et vous prétendez, naturellement, n'avoir pas vu Viroux, le jour de sa mort?

– C'est-à-dire que, au travers des volets clos, je l'ai aperçu rôder autour de ma maison. Oh! pendant un bon moment, j'ai bien eu l'intention de sortir de chez moi et d'aller casser la figure à ce... à ce...

Labar retint l'injure. Il acheva :

– Mais j'ai résisté. Je savais que, au fond, il n'y avait encore rien de sérieux entre lui et ma femme. S'il y avait eu quelque chose, il en aurait été déjà lassé, il n'aurait pas désiré lui faire quitter le domicile conjugal, l'emmener avec lui. De tristes individus comme ce Viroux ne s'embarrassent pas d'aimer... Ils s'amusent, ils craignent le tragique... Ce sont des lâches!...

Il serra les poings :

– Pourquoi voulez-vous absolument, d'ailleurs, que ce soit moi qui l'ai tué? Je ne suis pas le seul mari qui, dans ce village, ait envisagé avec plaisir la perspective de sa mort.

Le juge d'instruction frappa la tablette de son bureau du plat de la main.

– Labar, fit-il d'une voix dure, l'absurde système de défense que vous adoptez ne vous profitera pas, je vous le garantis! Vous avez avoué à votre femme avoir tué Aristide Viroux, et, seul, je suppose, à Sainte-Croix, vous aviez intérêt au meurtre d'Arthur Gyther... Je vous conseille d'avouer!

Un étonnement profond se peignit sur les traits d'Antoine Labar. « Si cette surprise est feinte, pensa Soroge, cet homme est un habile comédien. »

– Voyons, monsieur le juge, protesta le marchand-tailleur, je n'avais pas la moindre raison d'en vouloir à Arthur Gyther... Le pauvre! Le monde se bornait pour lui à Mme Gyther. Pourquoi aurais-je tué aussi celui-là?...

Seb Soroge poussa un profond soupir. Il bourra sa courte pipe de bruyère et l'alluma.

« Bon Dieu, pensa-t-il, ça n'en finit pas! Pour ma part, je vois encore un minimum de cent cinquante questions à poser. Ce petit M. Héraly en a certainement jusqu'au matin et Labar, j'en jurerais, montrera moins de force de résistance que la chèvre de M. Seguin... »

Il chassa vers le plafond une volute de fumée :

« Et puis il y a un appât à la clef : la belle Julie... Je parierais que Labar aura, avant minuit, avoué tout ce qu'on voudra! »

L'inspecteur leva les yeux. L'horloge du bureau, placée au-dessus de la porte, marquait 10 h 5.

XV

LE DANGER EST DEHORS

La lampe à gaz brûlait doucement avec son petit balbutiement familier. Elle éclairait mal le mobilier en faux acajou, les sièges garnis de peluche verte, les bibelots clinquants, mal d'aplomb sur l'appui de cheminée, et, dans leurs cadres dorés, des photographies dites artistiques.

Le store de l'unique fenêtre était baissé, le poêle,

brûlant à petit bruit, chargeait l'atmosphère d'oxyde de carbone...

La femme, qui tricotait près de la table, regarda l'heure au cadran de la pendule en bronze doré qui se dressait à la place d'honneur, poussa un profond soupir et posa son ouvrage devant elle. Pensivement, elle regarda l'homme qui, de l'autre côté de la table, bourrait sa pipe d'un pouce épais; ses yeux se posèrent, sans les voir, sur le front bas et têtu, creusé de rides profondes, sur le nez épaté, les lèvres lippues, le cou surgissant d'une chemise sans col, à grands carreaux rouges et blancs, le torse puissant, les bras musculeux et les mains reposant maintenant ouvertes sur les genoux de l'homme. La femme libéra un nouveau soupir et dit avec effort :

– Puisque rien ne te force à sortir...

Elle n'acheva pas sa phrase, par paresse innée. Elle n'aimait pas parler – pas plus que lui. Quand elle s'y résignait, il lui semblait ne pas pouvoir faire autre chose en même temps et elle posait son tricot.

L'homme ôta sa pipe de sa bouche et ses petits yeux gris lancèrent une brève lueur entre les paupières mi-closes.

– Pour moi, fit-il d'une voix grasse, c'est une blague... Une blague, je te dis!... On n'oserait pas!...

Il se carra sur son siège, bomba le torse. Par son attitude héroïque, il proclamait qu'il n'avait pas peur – ah non! – que lui, Wyers, boucher à Sainte-Croix et justement renommé dans toute la région pour la qualité de la viande qu'il débitait, ne craignait rien, ne craignait personne lorsqu'il avait une bonne lame au poing et qu'il se moquait comme de sa première culotte – de sa première culotte de bœuf! – des ronds tracés sur les portes avec de la craie rouge – « à seule fin, je te dis, d'effrayer le pauvre monde! ».

Ce rond rouge, Jules Wyers l'avait aperçu au moment où, le soir tombé, il avait attiré à lui, pour la verrouiller, la porte de son magasin. C'était un beau rond rouge, bien rond, bien rouge.

Wyers avait d'abord fait un mouvement brusque comme s'il avait posé le pied, par mégarde, sur un serpent. Puis il avait porté les mains au ventre et il avait ri. Sûrement, les voisins avaient dû l'entendre rire. Sa femme était accourue :

– Qu'est-ce qu'il y a?

– Regarde!

– Mon Dieu! s'était écriée Mme Wyers.

Et elle s'était signée :

– On a fait une marque comme ça sur la porte de l'hôtel où habitait Viroux et Viroux est mort... On en a fait une sur la porte du magasin de M. Gyther et M. Gyther est mort...

Pour toute réponse, Jules Wyers avait ri un peu plus fort en crachant sur la marque de mort. Il l'avait effacée d'un revers de coude, il avait fermé la porte d'un grand coup. Puis :

– Tiens! s'était-il écrié, je ne tourne même pas la clef. Qu'il entre, si ça lui plaît, celui qui a tué Viroux et Gyther. Qu'il y vienne! Je te promets de lui faire son affaire avec les mains que voilà!...

Et le boucher avait brandi d'énormes pattes lourdes et rouges, teintées, eût-on dit, du sang de toutes ses innocentes victimes, passées, présentes, futures.

Mme Wyers avait protesté. Il fallait fermer la porte et ne sortir sous aucun prétexte. Sinon, elle mourrait de peur. Il fallait ne pas sortir, ne pas sortir surtout! Il n'y avait certainement aucun danger dans la maison. Le danger était dehors.

– Et si je demandais à un voisin d'aller prévenir ce M. Soroge? suggéra-t-elle.

Son mari s'était fâché. Pour qui le prenait-elle? Il n'avait besoin du secours de personne. Quand on possédait des bras comme les siens, une poigne dont on parlait à dix lieues à la ronde, on portait plutôt secours aux autres...

Et puis, sournoisement, la nuit s'était faite plus noire, les minces bruits de la rue s'étaient tus. Wyers et sa femme s'étaient retrouvés seuls une fois de plus, face à face, dans leur petite salle à manger attenante au magasin. La femme avait pris son tricot, l'homme avait ouvert son journal. La lampe, la pendule, le feu avaient, comme chaque soir, entamé leur menue harmonie renforcée de temps à autre par un craquement, un pétillement plus violents, le battement de l'heure. Et, insensiblement, presque malgré lui, Jules Wyers s'était mis à songer à Viroux, à Gyther, victimes tous deux d'un mystérieux assassin qui obéissait à des mobiles ignorés de tous. Et voici qu'aujourd'hui... Cependant, il n'avait pas peur; un autre sentiment s'était emparé de lui tout entier, le faisant frémir par instants comme sous l'effet de décharges électriques : la colère.

L'homme la sentit, soudain, bouillonner si fort en lui qu'il repoussa sa chaise et se leva.

Mme Wyers avait aussitôt tourné la tête.

– Où vas-tu? interrogea-t-elle, anxieuse.

Le boucher ralluma sa pipe qu'il avait, au cours de sa songerie, laissé éteindre. Il fit entendre un gros rire :

– A côté.

Il désignait la porte vitrée qui faisait communiquer la petite salle à manger avec la boucherie.

– Que vas-tu faire?

– Arranger le porc qui est dans la glacière.

Mme Wyers haussa ses épaules étroites :

– Il peut attendre...

– Bah! répondit-il, têtu. Autant faire ça ce soir que demain matin.

Il ouvrit la porte et sa haute silhouette s'enfonça dans l'obscurité du magasin. Sa femme l'entendit jurer parce que le bec Auer s'allumait mal. Enfin, l'ombre se fit tout à coup moins dense, se réfugia dans les coins, et une pâle lumière permit d'apercevoir, par la porte entrouverte, de rouges formes pendues...

Jules Wyers ouvrit la glacière, décrocha le porc, le chargea sans effort apparent sur ses épaules et le jeta sur l'étal que d'incessants coups de hachoir et de couperet avaient incurvé en son centre...

En même temps, il ruminait les causes de sa colère. Avait-on jamais vu pareille impudence?... Tuer les gens en pleine rue et pousser l'audace jusqu'à les avertir du sort qu'on leur réserve! Passe encore avec des mauviettes comme ce Viroux et ce Gyther, mais s'en prendre à lui, Wyers, dont la force était proverbiale, qui ne craignait ni Dieu ni diable! Le boucher souhaitait ardemment se trouver en face de l'assassin, il se sentait sûr de vaincre.

Dents serrées, il leva sa feuille et l'abattit de toutes ses forces, puis il la releva et, de nouveau, l'abattit. Avec quelle ivresse Wyers eût broyé la tête du meurtrier comme il broyait cette chair morte... Un coup comme celui-ci, rien qu'un coup, et justice serait faite...

Laissant, un instant, sa lame plantée dans l'étal, Wyers se retourna et cria :

– Quelle heure?

– Bientôt la demie...

Mme Wyers ajouta :

– Dépêche-toi... Tu peux faire ça demain... Je voudrais aller me coucher...

– Eh bien... Monte.

– Non.

Une hésitation :

¬ J'aurais peur...

Le boucher poussa un grognement, cracha dans ses mains, saisit à nouveau sa feuille et recommença à frapper. « Qui a fait ça? pensait-il. Qui a pu faire ça? »

Qui avait tué Viroux et Gyther? Qui avait intérêt à leur mort? Et qui avait intérêt à celle de Wyers?...

Le boucher ne se connaissait pas d'ennemi et, si l'on admettait que l'on avait assassiné le pharmacien pour lui dérober son portefeuille, pour le voler, un autre motif avait dû pousser le meurtrier à s'en prendre à Viroux puisqu'on n'avait touché à rien de ce que ce dernier avait dans ses poches. D'autre part, le mystérieux criminel, en agissant comme il le faisait, en avertissant ses victimes, les mettait sur leurs gardes, les incitait, par là même, à sortir sans argent, ne pouvait espérer que ses forfaits lui rapporteraient quoi que ce soit. Et puis, se pouvait-il que l'on entreprît de décimer la population d'un village dans le seul dessein de s'emparer de quelques porte-monnaie? Non, cent fois, non! L'assassin ne tuait certainement pas pour voler; il s'y fût, dans ce cas, pris tout autrement. Des gens qui se tiennent sur leurs gardes laissent leur fortune chez eux... « Alors, pourquoi?... Pourquoi tue-t-il? » Telle était la question qui se pressait, maintenant, lancinante, à l'esprit de Jules Wyers.

Soudain, laissant encore une fois son couteau fiché dans l'étal, il s'immobilisa, prêta l'oreille...

Rien, le silence...

— Eh bien? fit la voix de Mme Wyers.

Rapidement, le boucher traversa le magasin.

— Tais-toi! souffla-t-il. Ne bouge pas d'ici! Je crois qu'*il* est sur le trottoir, devant la maison... Si c'est ça, je l'aurai!...

Avec précaution, il ferma la porte de communication, se dirigea vers son étal. Ses chaussons de lisière ne faisaient aucun bruit sur les dalles saupoudrées de sciure de bois.

Comme il refermait la main sur le manche d'un énorme couperet, un cri aigu, un cri de femme, un cri de terreur inouïe, retentit au-dehors.

Jules Wyers proféra un affreux blasphème et assura le couperet dans sa main.

Derrière lui, un appel retentit. Il se retourna.

Mme Wyers avait ouvert la porte de communication. Elle s'élança, elle s'accrocha à son mari :

— N'ouvre pas! N'ouvre pas!...

— Laisse-moi! fit le boucher d'une voix sourde. Vas-tu me laisser!... Ecoute!... On étrangle quelqu'un!...

Une plainte lamentable s'élevait, de l'autre côté de la porte.

Jules Wyers repoussa sa femme et tira brusquement le battant à lui.

— Qui est là? cria-t-il. Par Dieu, répondez!...

Il fit un pas en avant, dans le noir.

Malgré tout son courage, sa colère qui était à son comble, il sentit un désagréable petit frisson lui courir le long de l'échine en face de cette ombre noire, compacte, pleine de gémissements affreux et qui conservait son secret.

— Qui est là? répéta-t-il.

Et, son couperet brandi au-dessus de sa tête, il entra dans la nuit...

XVI

LES AVEUX INTERROMPUS

Le juge d'instruction repoussa sa chaise et se leva brusquement.

— Restons-en là! fit-il d'un ton mesuré. Labar, nous reprendrons cet interrogatoire dans quelque temps, lorsque vous aurez mieux compris vos intérêts. Monsieur Soroge, rendez-moi donc le service d'appeler l'agent Bourdot...

Et, lorsque celui-ci fut là :

— Bourdot, vous allez conduire cet homme à la prison de Bruges. Vous...

Mais Antoine Labar qui, depuis un instant, était devenu fort pâle, interrogea d'une voix blanche :

– Pardon, monsieur le juge... Je vous avais demandé de voir ma femme.

M. Héraly haussa les épaules.

– Et moi, répondit-il, je vous ai répondu que vous la verriez lorsque vous m'auriez dit la vérité, toute la vérité... Je ne puis donc accéder à votre désir.

Il ôta son lorgnon dont il se mit à essuyer soigneusement les verres :

– Je le regrette pour vous... Je vous croyais réellement plus intelligent... Je puis bien vous dire maintenant que, faisant fond sur votre bon sens, j'ai fait chercher Mme Labar pendant que je vous interrogeais... Je gagerais qu'elle attend, pour le moment, dans un bureau du rez-de-chaussée... Monsieur Soroge, voulez-vous vous charger de lui dire ce qu'il en est, lui présenter mes excuses pour ce déplacement inutile et la reconduire chez elle?

– Arrêtez! fit Labar, la main tendue.

Mais M. Héraly s'était rassis.

– Allez, Bourdot! dit-il.

L'agent Bourdot saisit Labar par le bras et l'entraîna. Cependant, comme ils sortaient du bureau, le marchand-tailleur se dégagea d'un mouvement brusque, rentra précipitamment dans la pièce et, se plantant devant le bureau du juge d'instruction :

– Pour la voir, cria-t-il, pour voir ma femme, il faut que j'avoue, n'est-ce pas?... Eh bien, j'avoue, là!... Maintenant, allez la chercher!

Derrière les verres de son lorgnon, les yeux de M. Héraly pétillèrent de joie.

– Un instant! fit-il. Il ne suffit pas, Labar, que vous disiez : « J'ai tué », il faut que vous nous disiez également comment vous avez tué...

Labar serra les poings. Ses yeux étaient brillants, sa figure rouge. Seb Soroge, pendant un instant, plaignit sincèrement cet homme.

– Eh bien? fit M. Héraly.

Le marchand-tailleur se laissa tomber sur sa chaise. Il haussa les épaules.

– Ma foi, dit-il avec rancune, ce n'est jamais qu'un crime passionnel... Le jury sera indulgent!...

On voyait qu'il cherchait à se rassurer, à s'inciter lui-même à parler en pensant : « Après tout, ça n'est pas si grave que ça! »

– Donc, intervint le juge d'instruction, vous reconnaissez enfin avoir tué Aristide Viroux?...

Et M. Héraly jeta un coup d'œil éloquent à M. De Mil qui, la plume suspendue au-dessus de son papier, était tout oreilles.

Il y eut un silence, puis la voix de Labar retentit, dure, catégorique :

– Oui, je l'ai tué.

– Pourquoi?

– Parce que ma femme voulait s'enfuir avec lui.

– Expliquez-nous comment les choses se sont passées.

– Vous savez bien comment... J'ai fait semblant de partir pour quelques jours parce que j'avais appris par un ami, à qui Viroux s'en était vanté, les projets de celui-ci... J'étais caché dans le grenier de ma maison où Berthe m'apportait à manger... Un peu avant l'heure fixée pour le rendez-vous, ma femme écarta sa belle-sœur sous un prétexte fort plausible... Berthe vint aussitôt m'avertir, nous pénétrâmes dans la chambre de Julie...

– Vous vous êtes conduit comme une brute à l'égard de votre femme...

– Je lui en voulais à mort. A ce moment-là, je l'aurais bien tuée, elle aussi... Quelques jours auparavant, lorsque j'avais dressé mon plan, j'avais acheté un narcotique chez Gyther... Je l'administrai à Julie et j'allai, derrière les volets clos de mon magasin, épier l'arrivée de Viroux...

Labar respira profondément et reprit :

– Il vint rôder autour de la maison lorsqu'il eut

constaté l'absence de Julie à leur rendez-vous... On voyait qu'il était très inquiet... A un certain moment, il marcha même vers la porte comme s'il allait se décider à sonner... Enfin, il s'en alla, tête basse... Alors...

Le marchand-tailleur s'interrompit. Il jeta autour de lui un regard fuyant.

– Alors, j'ouvris la porte, me glissai au-dehors... Viroux s'éloignait sans se retourner, s'engageait dans la Grand-Rue... Je le suivis en rasant les murs... Machinalement, j'enfonçai les mains dans mes poches... Je vous jure que, à ce moment-là, je n'avais pas l'intention de tuer!... Non, je comptais seulement accoster ce lâche individu qui voulait me prendre ma femme, lui cracher mon mépris à la figure, lui tomber dessus à coups de pieds et à coups de poing, lui ôter pour jamais l'envie de faire la cour à Julie... Mais je mis les mains dans mes poches et mes doigts rencontrèrent un lacet... Au même moment, l'idée me prit tout entier... Je n'allais pas rosser Viroux, le châtiment eût été trop doux, j'allais l'étrangler proprement avec ce lacet...

– Après?

– C'est tout!... J'ai attendu quelques instants encore, puis je me suis mis à courir, je me suis jeté sur Viroux, j'ai noué le lacet à son cou au moment même où il se retournait et j'ai serré, serré...

– C'est cela, fit M. Héraly. Donc, jusqu'à présent, vous nous aviez menti. Vous avez menti à tout le monde, à nous, à votre femme. Et votre sœur a menti aussi...

– Oui, oui, murmura Labar. Laissez-moi voir Julie!...

– Pardon, intervint le juge d'instruction, nous ignorons encore le motif qui vous a poussé à étrangler M. Gyther et...

Seb Soroge fit un geste brusque.

– Voyons..., commença-t-il.

Mais il s'interrompit et alla jusqu'à la fenêtre contre les carreaux de laquelle il appuya son front.

– Je n'ai pas..., dit le marchand-tailleur.

Il jeta sur le juge d'instruction un regard égaré :

– Ah! il faut que j'avoue ce meurtre-là aussi pour voir ma femme?... Dites?...

M. Héraly se carra sur son siège.

– Il faut, répondit-il, que vous renonciez à mentir, que vous nous disiez toute la vérité!

Alors, Labar se mit à rire. C'était un petit rire aigre, pointu et, en définitive, infiniment triste.

– J'ai compris, dit-il enfin. Toute la vérité!...

Il se remit à rire, sans regarder personne. Il riait comme d'autres pleurent :

– J'ai tué Arthur Gyther aussi... J'ai pensé que, à cause de lui, on pourrait arriver à la découverte de la vérité... Je l'ai épié... Je savais qu'il allait faire sa partie de cartes, tous les soirs, au Cheval-Blanc...

– Ha! Ha! triompha M. Héraly. Eh bien, qu'en dites-vous, monsieur Soroge, vous qui n'admettiez pas qu'on ait pu tuer le pharmacien pour l'empêcher de parler?...

– Moi? fit Soroge sans se retourner. Je ne dis rien.

– Ce second meurtre, cria M. Héraly, est encore plus révoltant que le premier! Cette fois, ce n'est plus un crime passionnel, Labar!... Et vous avez tué ce malheureux de vos propres mains!... Et vous lui avez pris son portefeuille!... dites, pourquoi avez-vous fait cela?... Pour détourner les soupçons, n'est-ce pas?... Pour faire croire que, cette fois, le vol avait été le mobile du crime?...

Labar ouvrait la bouche pour répondre lorsqu'une rumeur confuse retentit au-dehors, sur la place.

– Ecoutez! fit M. Hanon.

Il alla à la porte, l'ouvrit et on l'entendit dégringoler les escaliers.

– Qu'est-ce que c'est? interrogea le juge d'instruction.

Seb Soroge avait ouvert la fenêtre.

– Je crains..., commença-t-il.

Il se pencha.

– Voyons, reprit M. Héraly qui tremblait d'énervement. Que se passe-t-il, monsieur Soroge?

– Je suppose, répondit l'inspecteur, que quelque nouveau meurtre...

– Vous plaisantez, n'est-ce pas? cria le juge d'instruction. Un nouveau meurtre!... Comment voudriez-vous que...?

– Que...? fit placidement l'inspecteur.

– Que l'on ait encore pu tuer quelqu'un puisque l'assassin...

Seb sourit :

– Puisque l'assassin...? interrogea-t-il.

– Le diable vous emporte! hurla M. Héraly.

A ce moment, il se retourna. M. Hanon rentrait dans le bureau. Son visage était bouleversé.

– Antoine Labar, fit-il d'une voix rauque, vous nous avez, ce soir, menti plus que jamais! Vous n'avez tué ni Viroux ni Gyther... car le meurtrier de ces deux hommes vient d'en tuer un troisième!

M. Héraly se dressa lentement, les mains sur les accoudoirs de son fauteuil :

– Qu'est-ce que vous dites?...

– Je dis, reprit M. Hanon, que le mystérieux assassin vient de faire une nouvelle victime... Il a, à l'aide d'un foulard de soie, serré par une règle d'ébène, étranglé le boucher Jules Wyers, un véritable colosse, l'homme le plus fort de la région!...

XVII

SANS DROIT NI VOLONTAIREMENT

Le lendemain matin, qui était un dimanche, le juge d'instruction se leva de fort méchante humeur. Il trouva M. Hanon l'attendant dans le bureau du maire. Après qu'ils eurent échangé quelques phrases découragées et qu'ils se furent montré des journaux où on ne leur ménageait pas les reproches, M. Héraly interrogea, d'une voix hargneuse :

— Et M. Soroge, savez-vous où il est?

— Oui, répondit M. Hanon. Il est à la messe.

Le juge d'instruction s'assit.

— A la messe! s'écria-t-il.

Il leva les bras au plafond :

— Trouvez-vous réellement que le moment soit choisi pour aller à la messe?...

Le substitut s'assit à son tour, croisa les jambes et alluma une cigarette.

— Eh bien, ma foi oui! répondit-il. Notez bien que, tout d'abord, j'ai réagi comme vous quand M. Soroge me dit, hier, ce à quoi il comptait occuper une partie de sa matinée d'aujourd'hui. Je témoignai de ma surprise, de ma déception même. Je lui demandai s'il ne croyait pas mieux servir Dieu en s'employant à sauver ses créatures...

— Et qu'a-t-il répondu? Je serais au moins curieux...

— Il m'a répondu ceci : « Demain matin, tout Sainte-Croix se trouvera à l'église. Pensez-vous que se présente jamais à moi meilleure occasion d'examiner à loisir chaque occupant de ce village? Il paraît que M. Rochus, le curé de l'endroit, a préparé un sermon sur le cinquième commandement de Dieu. Je veux entendre cela... » Voilà ce que m'a dit Seb Soroge et je n'ai pu que l'approuver.

Au même moment, l'inspecteur pénétrait dans l'église, cette église dont M. le curé Rochus était si fier. Elle était déjà pleine aux trois quarts, des chaises crissaient sur les dalles, la messe allait commencer...

Seb Soroge s'avança lentement dans la nef principale, entre les deux rangées de chaises. Tout en marchant, il tournait la tête à droite et à gauche, il s'ingéniait à mettre un nom sur chaque visage, à se rappeler ou à déceler l'identité de chaque fidèle.

Il lui avait suffi de prêter l'oreille, d'aventure, aux bavardages des commères du village pour apprendre à reconnaître les gens qu'il rencontrait. Aussi repéra-t-il au passage la fille du Dr Hye et, quelques chaises plus loin, Mme Prégaux, dont la fortune défrayait quotidiennement les conversations des villageois; la vieille dame était accompagnée de ses deux filles, Berthilde et Yvonne, et de son neveu Hubert Pellerian. Berthilde, l'aînée des deux sœurs, penchée vers le jeune homme, lui parlait à mi-voix mais son regard à lui allait furtivement se poser, au-delà de Berthilde, sur une silhouette agenouillée.

Seb Soroge avisa un prie-Dieu, le premier d'une rangée, et il s'arrêta, jetant autour de lui de rapides coups d'œil. A sa gauche, il aperçut maître Cosse, le notaire, flanqué de l'inévitable Mme Cosse, et, un peu plus loin, M. Binet, le maire, qui murmurait quelques mots à l'oreille de Dermul, le secrétaire communal. Plus haut dans l'église, l'inspecteur identifia encore M. Verspreet, le vétérinaire, Dykmans, le boulanger, et Mme Gyther, en grand deuil, abîmée dans l'ombre d'un pilier.

La messe avait commencé. Seb Soroge s'agenouilla sur le bord de sa chaise, se prit la tête dans les mains et, entre ses doigts écartés, se mit à examiner les personnes qui se trouvaient à sa droite. Il reconnut d'abord la belle Mme Labar dont la pâleur paraissait particulièrement émouvante à côté de la figure ratatinée de la vieille femme agenouillée près d'elle; cette respectable septuagénaire était Estelle, la servante du curé, mais Seb Soroge ne la connaissait pas. En se retournant un peu, il aperçut Mme Petyt-Havet, la mercière; la brave femme, qui paraissait se ressentir encore de l'émotion provoquée en elle par le meurtre de Viroux, était entourée de Mme Mol, la femme du marchand de cycles qui partageait sa chambre depuis deux nuits, de M. Mol, et de Louise Bosquet dont on n'apercevait, tant elle était penchée sur son missel, qu'un chapeau garni d'un large ruban défraîchi.

L'inspecteur, sa curiosité satisfaite, dirigea à nouveau son regard vers le chœur et, ce faisant, aperçut, à l'autre bout de la rangée de chaises où il se tenait, M. Olivier Mascaret, un M. Mascaret qui paraissait s'être mis en frais d'élégance à en juger par son complet lie de vin, sa cravate grenat et la pochette de batik fleurissant la poche supérieure de son veston. Seb Soroge pensa que les épaules de ce veston avaient été bourrées d'ouate par le tailleur de Sainte-Croix (Labar, sans doute) et qu'il avait rarement vu un homme plus mal habillé que le professeur. Il se rappela l'avoir vu sortir, la veille au soir, de la roulotte de Guido. « Y a-t-il donc, se demanda Seb, deux professeurs Mascaret? Un professeur Mascaret et un Olivier? Un homme grave et pondéré, plein de dignité, et un autre qui, à la nuit tombante, éprouve le besoin d'aller consulter un cartomancien? Lequel de ces deux-là est le vrai Mascaret, lequel de ces deux-là cherche à faire illusion?... » Seb, le regard appuyé, tentait de dégager, du Mascaret d'aujourd'hui, la troublante personnalité du Mascaret de la veille. En vain. Rien de ce dernier ne paraissait subsister dans l'attitude gauche, maladroite et compassée du professeur.

M. le curé Rochus monta en chaire, Seb Soroge tourna sa chaise et s'assit. En même temps, une idée le frappa et il s'interrogea brusquement :

« Olivier Mascaret pourrait-il être le meurtrier que nous recherchons?... »

L'inspecteur sourit, amusé, et, de chaise en chaise, de visage en visage, il poursuivit le jeu :

« Si c'était Verspreet, le vétérinaire?... »

« ... ou M. Binet, le maire?... »

Le maire!... Ce type de parfait honnête homme!... Et pourquoi pas? Pourquoi Soroge ne soupçonnerait-il pas le maire au même titre que ses administrés? N'était-ce pas à M. Binet, avant tout autre, que l'on devait l'arrestation de Labar, de Labar qui ne pouvait pas être coupable, puisque, pendant qu'il répondait à l'interrogatoire du juge d'instruction, on commettait un troisième assassinat?...

« Et si c'était la belle Julie?... »

Le mensonge est partout. Si Labar avait menti pour sauver sa femme? Pour lui fournir le plus formel des alibis? Seb pensa à Wyers, à ce colosse. Jamais une femme n'eût pu étrangler cet homme... L'assassin ne devait-il pas être d'une force au-dessus de la moyenne, d'une force au moins égale à celle du boucher?...

Cependant, un frémissement avait parcouru l'auditoire au moment où M. le curé Rochus entamait son sermon :

Homicide point ne seras,
Sans droit ni volontairement.

Chacun jetait sur son voisin des regards soupçonneux... Homicide point ne seras... Lequel, parmi les habitants de Sainte-Croix, l'avait été, sans droit et volontairement?...

Tête baissée et yeux au sol, Seb Soroge continuait à se poser des questions sans réponse. Qui donc, dans le village, avait des muscles aussi solides que ceux du boucher? Personne, à la connaissance de l'inspecteur. Feu Jules Wyers avait été un gaillard unique en son genre, à dix lieues à la ronde.

Seb hocha la tête : il avait son idée sur la force extraordinaire dépensée par l'assassin.

Et, pendant que l'inspecteur, pour chaque fidèle connu de lui, continuait à se poser mentalement cette

question : « Est-ce que cela pourrait être lui ? elle ?... »
M. Olivier Mascaret, assis à l'autre bout de la rangée, pensait, lui aussi, au meurtre de Viroux, au meurtre de Gyther, au meurtre de Wyers. C'était surtout à celui-ci qu'il pensait et à la visite que lui, Mascaret avait rendue, la veille, à Guido, à la rencontre qu'il avait faite en rentrant au village. Il revoyait Edmée Hye sur le seuil de sa demeure, il la réentendait lui dire : « Je vous y prends, monsieur mon amoureux ! »

Un flot de sang, à ce souvenir, inonda les joues du professeur, il toussa, remua sur sa chaise et leva les yeux vers la chaire d'où M. le curé Rochus continuait à donner libre cours à son éloquence sacrée :

– Et en vérité, je vous le dis, mes très chers frères...

Hubert Pellerian tourna un peu la tête et son regard rencontra celui de la fille du docteur Hye. Le jeune homme sourit, ses paupières battirent. Tendre émission à laquelle la jeune fille se garda de répondre car Berthilde Prégaux, ayant remarqué l'attitude de son cousin, avait ostensiblement posé la main sur celle du jeune homme comme sur un bien dont elle n'entendait pas se laisser déposséder.

Sous la pression de cette main, Hubert tressaillit et, vivement, il ramena son regard sur Berthilde. Ce n'était pas qu'il aimât sa cousine, non certes, mais il n'envisageait pas d'autre moyen qu'un riche mariage pour se tirer d'affaire. Berthilde et lui étaient, aujourd'hui, quasi fiancés et, sans doute, le soir même...

Le soir même, il y aurait fête chez les Prégaux. Les invitations, lancées au dernier moment, avaient été rédigées, par Yvonne, sur le mode humoristique :

Si le mystérieux assassin de Sainte-Croix ne vous fait pas peur, nous serons ravis de vous recevoir, etc.

Hubert avait fait inviter la fille du docteur Hye à cette soirée. Il ne voyait pas, en effet, dans ses projets de mariage, le moindre empêchement à faire la cour à

Edmée. Lorsqu'une jeune fille lui plaisait, n'importe laquelle, eh bien, Hubert avait accoutumé de le lui laisser voir...

De son côté, Edmée pensait à l'invitation qu'elle avait reçue, la veille. « Soirée dansante... » Ces deux mots l'hypnotisaient. Quand elle en avait parlé à son père, le docteur avait d'abord fait la sourde oreille puis, comme toujours, il s'était laissé convaincre. Il avait déclaré : « Je m'en voudrais de vous priver d'un des rares plaisirs qui s'offrent à vous. Vous admettrez cependant que dans les circonstances présentes, une sortie nocturne et une rentrée sans doute matinale sont de la dernière imprudence. Aussi vais-je aller à la maison communale et demander au juge d'instruction qu'une surveillance particulièrement étroite soit exercée, cette nuit, dans le village et, particulièrement, aux abords de la maison des Prégaux... » Edmée avait souri : « Bien, papa. Ne craignez rien : on viendra me chercher et l'on me reconduira en voiture. Il y aura beaucoup de personnes qui viendront de Bruxelles et de Bruges en auto. Les phares répandront de tels flots de lumière dans les rues que le mystérieux assassin sera obligé de demeurer terré dans quelque coin pendant toute la nuit. » Le docteur avait hoché la tête : « Je le souhaite, ma fille, mais... je ne le crois pas. »

La plupart des assistants se signèrent : M. le curé Rochus quittait la chaire après avoir, d'une voix tremblante, exalté Abel et maudit Caïn. Quand le prêtre, un plateau à la main, passa, quelques instants plus tard, au milieu des fidèles, certains – et, parmi eux, Seb Soroge – purent voir que son front était ruisselant de sueur.

« Le pauvre homme! pensa l'inspecteur. De savoir qu'il y a une brebis galeuse dans le troupeau, il doit perdre le boire et le manger... »

La messe dite, Seb sortit le premier de l'église. Il avait hâte d'allumer sa pipe. Ce qu'il fit pendant que, par le portail large ouvert, s'écoulait le flot pressé des fidèles.

Seb ouvrit tout grands ses yeux et ses oreilles. Méditatif, il erra de groupe en groupe. Au passage, il surprenait des bouts de phrases, des noms, rien qu'un mot parfois. Cela même lui suffisait. Il ne désirait rien d'autre, pour l'instant, qu'entendre parler entre eux les gens du village, connaître leur opinion sur tel ou telle, surprendre la calomnie et l'intrigue... Rien de tout cela, dans une affaire comme celle-ci où il lui fallait découvrir un meurtrier parmi plus de cinq mille âmes, ne pouvait, ne devait le laisser indifférent. Apprendre, même, en s'attardant un instant auprès d'un groupe de commères, que la vieille Estelle, la servante du curé, avait été choquée de se trouver assise, à l'église, à côté de Mme Labar, cette « femme de rien », pouvait, d'une heure à l'autre, avoir son importance.

— Eh bien? fit M. Hanon lorsque Seb reparut dans le bureau du maire. Que pensez-vous, mon cher, du « tout Sainte-Croix »?

— Mettons rien... pour le moment.

M. Héraly fit une grimace :

— Tout de même, vous nous direz bien si ce sermon sur le cinquième commandement valait la peine d'être entendu?

— Je n'en sais rien. Je n'ai pas écouté.

Tout en répondant machinalement, l'inspecteur s'était assis sur le coin du bureau du juge d'instruction :

— J'ai regardé autour de moi, voilà. Puis j'ai prêté l'oreille aux commérages. J'ai également jeté quelques noms sur un bout de papier... Pêle-mêle... Comme ça... Peut-être que le nom de l'assassin est dedans... Peut-être pas...

— Quels sont ces noms? fit M. Hanon.

— Oh! tous ceux des gens que j'ai reconnus à l'église... Je les soupçonne tous faute de pouvoir en soupçonner un ou deux...

– A propos! dit le substitut. Nous avons reçu deux visites.

– Ah! lesquelles?

– Tout d'abord, les inspecteurs Cardot et Henry sont arrivés tantôt. Ils sont venus tous deux car on s'émeut étrangement à Bruxelles. Alors...

– Et la seconde visite? trancha Seb.

– C'est le Dr Hye qui nous l'a rendue. Il paraît qu'une certaine Mme Prégaux a organisé une petite fête intime pour cette nuit. Le docteur, dont la fille est invitée et qui a peur pour elle, est venu nous demander de faire surveiller la maison de cette dame... Je lui ai dit que le nécessaire serait fait et, pendant que l'inspecteur Cardot allait rôder aux environs du magasin de Jules Wyers (je ne sais pour chercher quels indices), j'ai envoyé l'inspecteur Henry chez cette dame Prégaux pour lui représenter tout le danger qu'il y a à organiser une fête nocturne dans les circonstances présentes et pour essayer de la convaincre de décommander ses invités... Je doute, ajouta le substitut avec un haussement d'épaules, que cette visite serve à quelque chose. Je crains qu'il n'y ait fête, cette nuit, et...

– Que voulez-vous? fit Seb Soroge. La funèbre liste n'est pas close. Je suppose que vous comprenez cela.

– Mais, intervint M. Héraly, n'est-ce pas à nous qu'il appartient...

– Des affaires comme celles-ci nous dépassent, monsieur Héraly! interrompit Seb. Je vous dirai un autre jour pourquoi. Quand l'assassin aura fini de frapper...

– Et quand, selon vous, aura-t-il fini?

– Quand il sera fatigué, repartit Seb, ou mort. Qu'est-ce que c'est que ça?

Il avait pris, sur le bureau, une feuille de papier.

– Ah! oui, fit M. Hanon, la lettre!

Il s'approcha :

– C'est, comme vous le voyez, une lettre anonyme. Nous l'avons trouvée tout à l'heure dans la boîte.

– Vraiment? fit Seb.

Il lisait :

Monsieur le Juge,

Permetez à un ami de vous conseiler d'interoger quelques persones trop tranquiles : M. Pelerian, notre instituteur et la servante du curé qui est une méchante vieile. Vous aprendrez des choses et je vous salue. (s) *Un ami.*

– Extrêmement banal, comme vous voyez! grogna le juge d'instruction. Nous ne pensions même plus à vous montrer cette lettre... Toutefois, comme il ne faut négliger aucune occasion, il serait bon d'interroger les personnes mentionnées quoique cette accusation...

– Oui, fit Seb. Elle les innocente en quelque sorte.

M. Héraly haussa les sourcils :

– Oh! innocenter est peut-être exagéré! Mettons...

Mais il était dit que l'inspecteur ne lui laisserait achever aucune de ses phrases. Il murmura pensivement :

– Cette lettre est formidable...

– Formidable? s'écrièrent le juge d'instruction et le substitut.

Le second poursuivit :

– Voyons, Seb, c'est tout ce qu'il y a de banal! La dénonciation classique pour assouvir une vieille rancune contre la servante du curé. Ne voyez-vous pas qu'elle est spécialement visée?

– Oui, oui, fit l'inspecteur. Cela, c'est banal, je vous le concède, mais le reste ne l'est pas...

– Le reste?

– Oui, l'écriture même de la lettre.

– L'écr... Seb, je ne comprends pas.

– Cela ne fait rien, dit Seb.

Il ajouta :

– Apprenez seulement ceci... *L'ami* qui a signé cette lettre, *c'est l'assassin en personne.*

XVIII

CORPS A CORPS

Ayant enfin obtenu le silence réclamé et l'orchestre s'étant tu, Mme Prégaux, souriante, s'avança au milieu du cercle de ses invités.

– Mes chers amis, dit-elle d'une voix qui tremblait, j'ai le...

Elle respira profondément :

– J'ai le plaisir de vous annoncer les fiançailles de ma fille Berthilde avec mon neveu, M. Hubert Pellerian.

Ce fut aussitôt, dans toute la salle, un concert d'exclamations, on se pressa autour des jeunes gens qui, côte à côte, semblaient un peu gênés de ce qui leur arrivait :

– Toutes mes félicitations, mon petit ! – Ce cher vieux Hubert ! – Hein ! qui aurait cru ça ? – A quand le mariage, vous deux ?...

Pâle et mince dans sa robe rose, Berthilde n'osait regarder Hubert. Avait-il le visage qu'elle avait de tout temps souhaité voir à son fiancé, en un moment comme celui-ci ? Elle en doutait, la mort dans l'âme. Elle ne pouvait oublier qu'elle était riche, fort riche, et que Hubert – « le toujours beau Hubert », comme l'appelaient ses amis – connaissait, après une fastueuse vie de garçon, l'appréhension du lendemain.

Hubert, de son côté, ne regardait pas Berthilde. Il serrait des mains, au hasard, il pensait : « Enfin !... Sauvé !... » Le lendemain même, il pourrait, misant sur « la petite Prégaux », prendre un engagement formel avec ses créanciers les plus exigeants.

Tout en songeant à cela, le jeune homme cherchait des yeux un visage parmi la foule. Il l'aperçut et, aussitôt, abandonnant sa fiancée à ses amis, il se fraya un chemin parmi les invités dont plusieurs s'étaient remis à danser aux sons d'un *pick-up*.

– Mademoiselle Edmée, fit Hubert.

La jeune fille se retourna au moment où un maigre jeune homme blond, portant lorgnon et boiteux de surcroît, se dirigeait tout droit vers elle avec l'évidente intention de l'engager à danser.

Edmée sourit :

– Monsieur Hubert?

– Accordez-moi cette danse, voulez-vous?

La jeune fille mesura le danger – en l'espèce : le maigre jeune homme blond – prêt à fondre sur elle :

– Volontiers.

L'instant d'après, elle se trouvait dans les bras d'Hubert, emportée comme une plume sur le parquet ciré. Elle leva les yeux vers ceux du jeune homme.

– Mes plus sincères félicitations, dit-elle. Berthilde est une charmante fille...

– Ah! non, pas vous! protesta Hubert. Pas vous!...

– Qu'est-ce qu'il y a : pas moi?

La voix de Pellerian se fit dure :

– Je ne veux pas que vous me félicitiez.

Tout en dansant, ils s'étaient approchés d'une des deux grandes portes-fenêtres qui donnaient sur le jardin.

Plutôt, Hubert avait entraîné adroitement sa danseuse dans cette direction. Sans cesser de suivre, sur place, le rythme de la danse, le jeune homme tourna vivement la poignée, ouvrit la porte.

– Avez-vous froid? demanda-t-il.

– Je meurs de chaud, repartit Edmée. Pourquoi?

– Une courte promenade dans le jardin vous effraierait-elle?

– Certes non... Mais que ne proposez-vous cela à votre fiancée?

– Non, répondit-il durement. Les occasions ne nous manqueront pas de nous promener de nuit, tandis que... Vous ne pouvez pas me refuser cela!

– Mais je ne refuse pas! dit Edmée. Je voudrais seulement que vous me rapportiez ma fourrure du vestiaire.

– J'y cours... Je serai là dans un instant.

Songeuse, Edmée s'appuya au battant de la porte-fenêtre. Pourquoi n'aurait-elle pas accepté la proposition d'Hubert? C'était un charmant garçon, de commerce agréable... Et quel excellent danseur! N'était-il pas, d'ailleurs, le seul jeune homme qu'elle ne rencontrait pas pour la première fois, ce soir-là? Tous les autres lui étaient inconnus. Elle se repentait d'avoir fait inviter, au dernier moment, Olivier Mascaret. « Ça lui fera peut-être plaisir, avait-elle pensé, le matin même, à l'église. Lui qui, jamais, ne prend la moindre distraction... Pas plus que moi, du reste! »

Et, abordant, à la sortie du temple, le groupe formé par Mme Prégaux, Berthilde, Yvonne et Hubert, elle leur avait donné à entendre que l'instituteur ne manquerait pas d'être particulièrement sensible à une invitation venant de leur part. « C'est un garçon d'excellente famille, avait-elle cru devoir ajouter, et d'un abord moins rébarbatif, croyez-moi, qu'il n'en a l'air... » Hubert avait souri, avec l'air de penser : « Ce n'est pas, dans tous les cas, un dangereux rival... » et, comme M. Mascaret venait précisément à passer, il l'avait abordé, chapeau bas, et lui avait transmis, de la part de sa tante, une invitation pour le soir même. Pris de court, M. Mascaret avait bafouillé une réponse incompréhensible et s'était esquivé.

« Le mufle! se dit encore Edmée. Ne pas venir! C'est à moi qu'il fait cet affront! »

Elle se sentait la proie d'une colère froide à son égard. Elle le détestait, oui, elle le détestait! Pouvait-il être ridicule avec son complet lie de vin, son col à coins cassés et sa cravate grenat. Et porter des souliers à boutons à son âge!

– Voici votre manteau, dit Hubert. Oui, j'ai préféré

vous apporter votre manteau, de crainte que vous ne preniez froid...

– Merci.

Il le lui mit sur les épaules :

– Venez...

L'un derrière l'autre, ils se glissèrent par la porte entrouverte et le gravier de l'allée principale crissa sous leurs pas.

– Prenez à droite, fit Hubert. Ce petit sentier... Il y a un vieux banc de bois au bout. Nous pourrons nous y asseoir côte à côte et compter les étoiles... Je n'ai jamais pu les compter seul.

Edmée secoua la tête.

– Désolée de vous refuser cela! répondit-elle. Je craindrais de prendre froid en demeurant assise, ne fût-ce que quelques instants, pendant une nuit comme celle-ci... Et je suppose, n'est-ce pas, que compter les étoiles exige une assez longue contemplation... Promenons-nous plutôt...

– Comme vous voudrez, fit Pellerian. Je le regrette, ajouta-t-il, car j'aurais aimé bavarder un peu avec vous... Vous me plaisez tellement!

Edmée fit entendre un petit rire :

– Moins que Berthilde, j'espère?

– Plus... Berthilde ne me plaît pas.

– Alors, pourquoi l'épousez-vous?

– Parce qu'elle est riche... Comprenez-vous?

– Oui, fit Edmée. Ce n'est pas très propre.

Elle marchait tête basse fixant des yeux les pointes claires de ses petits souliers de satin se découpant tour à tour sur le sol noir. Elle sentit qu'Hubert se penchait vers elle, à la toucher.

– Ne soyez pas impitoyable! fit-il d'une voix rauque. Je joue depuis toujours avec de mauvaises cartes dans mon jeu. Je suis acculé, je n'ai plus un sou, Berthilde est ma seule planche de salut... mais c'est vous que j'aime!

Ils étaient arrivés dans le fond du jardin, entre un

gros buisson de rhododendrons et un bouquet de petits sapins qui chargeait la nuit d'un parfum de résine.

Hubert prit entre les siennes la main d'Edmée :

— Dès le premier jour que je vous ai rencontrée, vous le savez, je vous ai aimée. Et aujourd'hui... Aujourd'hui, je vous jure qu'il n'est pas, pour moi, de bonheur possible sans vous... Petite lumière...

Edmée retira vivement sa main. Comme il avait bien dit cela : « Petite lumière! »

— Il ne dépend que de vous, reprit le jeune homme d'une voix haletante, d'éclairer ma route pour jamais. Mon amour pour vous, Edmée, est la seule bonne action de mon existence... Vous n'allez pas m'abandonner!...

— Je ne comprends pas très bien, fit Edmée d'une voix qui tremblait un peu. Vous dites m'aimer et vous vous fiancez à une autre... Tout cela le même soir... Où est la vérité?

— Dans mon cœur..., murmura Hubert.

Il se rapprocha d'elle :

— ... qui ne bat que pour vous.

Il lui prit à nouveau la main et, comme elle cherchait à la lui retirer :

— Non, laissez! implora-t-il. Ne pouvez-vous faire preuve d'assez de bonté pour comprendre ce qui m'arrive?

— Mais, interrogea-t-elle, si vous m'aimez comme vous le dites, qu'allez-vous... qu'allez-vous faire?...

Il y eut, entre eux, un court silence haletant.

— L'épouser, répondit-il. Il le faut.

Il ajouta :

— Le reste dépendra de vous.

— C'est-à-dire...

La voix de la jeune fille se fit plus basse :

— ... que vous me proposez...

Mais les mots ne passaient pas. Elle se raidit :

— Précisez donc vos intentions... si vous l'osez!

– Certes! s'exclama Hubert avec un accent passionné.

Et, avant qu'Edmée eût pu prévoir son geste, il l'avait saisie aux épaules, enserrée dans ses bras, attirée à lui.

Elle se débattit.

– Lâche! cria-t-elle. Laissez-moi!...

– Pourquoi? répondit-il en approchant son visage du sien.

Elle sentit son haleine contre son cou et poussa un gémissement de détresse :

– Laissez-moi! Laissez-moi!... C'est indigne!...

Il ricana, conscient de sa force, de sa puissance :

– Pourquoi?... Ce n'est pas terrible, un baiser...

– Je ne veux pas! répéta-t-elle avec une sorte de fureur. Lâchez-moi! Lâchez-moi!...

Elle le frappa du pied.

– Ah! Lâchez-moi! Je veux...

Un sanglot l'étouffa :

– Je veux que mon premier baiser soit pour l'homme que j'aimerai!...

– Pour moi, par conséquent! dit Hubert Pellerian.

Et il se pencha vers la tache claire que faisait, dans l'ombre, le visage de sa compagne...

Il ne le toucha pas. Il se sentit saisi, arraché en arrière par une force redoutable et, l'instant d'après, il s'allongeait sur le sol, sa joue s'enfonçait dans l'herbe froide.

Brusquement libérée, Edmée, chancelante, avait fait un pas en arrière. Ses genoux fléchirent sous elle. Elle serait, elle aussi, tombée si un bras ne l'avait brusquement soutenue.

Elle leva les yeux.

– Vous! dit-elle.

Puis :

– Que faites-vous ici?

– J'ai été invité, répondit le professeur Mascaret.

– Oui... mais je vais vous flanquer dehors!

D'un bond, Hubert Pellerian s'était relevé. Menaçant, les poings fermés, il s'approcha de l'instituteur, à le toucher.

– Oh! dites, vous n'allez pas vous battre? cria Edmée.

– Canaille! grinça Hubert. Je vais...

– Laissez-le! supplia la jeune fille. Il m'a défendue, il...

Pellerian, d'un revers du bras, l'écarta brutalement.

– Sale individu! cria-t-il.

Et, par deux fois, de toutes ses forces, il souffleta l'instituteur.

Alors, Edmée vit un spectacle qui la stupéfia : la transformation du professeur Mascaret. Poussant une sorte de hurlement de rage, il avait arraché ses lunettes. Son visage se plissa, ses épaules semblèrent s'élargir, il parut, un instant, immobile et grandi, libérer une force cachée. Puis il fonça...

Affolée, la jeune fille avait enfoui son visage dans ses mains. Elle entendait près d'elle, autour d'elle, les souffles pressés, mêlés, de ces deux hommes qui se battaient... pour elle. Leurs gémissements courts, leurs ahans, le bruit des coups échangés – pour elle! pour elle! – la faisaient frissonner toute. Soudain, elle ouvrit les yeux, vit une étoile glisser dans le ciel et fit un vœu.

– Edmée...

Elle se retourna tout d'une pièce, folle de joie.

Son vœu était exaucé.

– Venez. Il vous faut quitter cette maison... tout de suite...

– Oui, oui, dit-elle. Mais...

– Venez. Je vous accompagnerai jusque... jusque chez vous...

Elle recula, cacha derrière elle la main qu'il voulait lui prendre.

– Un instant! fit-elle. Restez là, comme ça... Ne bougez plus, Olivier... que je vous regarde!...

Il y eut un silence.

Puis une petite voix, une petite voix émue, reprit :

– Sans col, sans lunettes, vous êtes extraordinaire, vous savez!... Un autre homme!...

Elle alla bravement à lui, se haussa sur la pointe des pieds, noua ses bras nus autour de son cou :

– Et désormais, n'est-ce pas, mon chéri, plus de cols à coins cassés?... Jamais!... Jamais...

XIX

LES MARQUES DE MORT

Guido, un paquet sous le bras, sortit de la première roulotte, celle où sa femme Maria dormait déjà, tous ses enfants autour d'elle, et, après avoir jeté un regard furtif à droite et à gauche, il se dirigea rapidement vers la seconde voiture...

La campagne tout entière dormait, à cette heure de nuit. Au bord du fossé, près du bois de sapins, les deux roulottes semblaient être, de loin, des jouets abandonnés par un enfant à l'heure où passe le marchand de sable. Le cheval lui-même était aussi immobile qu'un cheval de carton-pâte et il n'y eut pas jusqu'aux fenêtres de la seconde roulotte qui ne parurent garnies de papier rouge lorsque Guido, à l'intérieur, eut allumé la lampe à pétrole.

Cette lampe au poing, le Bohémien retourna fermer la porte, ce qu'il avait négligé de faire en entrant. Puis, un long moment immobile, il parut prêter l'oreille aux bruits venus du dehors.

Rassuré, il posa la lampe sur la table, à côté du paquet qu'il avait apporté. Puis il tira, de la poche de son pantalon, une mauvaise montre en nickel. C'était un énorme oignon aux aiguilles de cuivre qui, sans doute possible, avait été consulté, remonté, détraqué et réparé par plusieurs générations. Guido poussa une sorte de grognement, remit sa montre dans sa poche et commença à ouvrir le paquet...

Quelqu'un, qui se fût glissé dans la roulotte derrière l'Italien, ne se fût pas rendu compte tout de suite de la nature de l'objet qu'il dégagea du papier d'emballage. Le dos penché de Guido lui eût caché la vue. Puis, la chose enfin aperçue, il n'eût pu réprimer un sursaut de dégoût, il eût, sans nul doute, douté, un instant, de ses sens...

Car il y a encore des natures sensibles qui, soyez-en persuadé, supportent malaisément le spectacle d'un chat crevé.

Et encore, celui-ci n'était-il pas mort de mort naturelle. Ayant eu le tort de quitter, pour quelque hasardeuse expédition, son habituel champ d'opérations, c'est-à-dire les gouttières, il était tombé dans des mains meurtrières qui s'étaient crispées dans sa fourrure d'un blanc sale, avaient noué une corde autour de son cou et serré. Ce n'est pas, cependant, que Guido, l'auteur de ce crime non justiciable des lois humaines, eût voué à la gent féline une haine particulière. Non, il avait simplement des projets et, pour mener à bonne fin leur réalisation, il lui fallait un chat, un cadavre de chat.

Tout en exploitant la crédulité publique, Guido, nous l'avons dit, était lui-même superstitieux. Justement alarmé par ce qu'il avait lu, la veille au soir, dans les tarots, le Bohémien avait décidé de recourir à la bonne vieille sorcellerie de ses pères pour découvrir l'auteur des trois crimes qui avaient plongé Sainte-Croix dans la consternation. Se conformant aux prescriptions respectées depuis toujours, il allait, cette nuit même, interroger l'*esprit immonde* qui répondrait sûrement, car l'assassin était une de ses créatures. Guido serait alors seul à connaître l'identité de celle-ci, il pourrait clamer son nom partout ou, mieux, s'il ne s'était pas trompé, si le meurtrier était qui il pensait, il pourrait intervenir lui-même.

Ayant couché le cadavre du chat sur la table, le Bohémien ouvrit le livre à couverture verte, feuilleté, la veille, par le professeur Mascaret. Laborieusement, il chercha la page qui l'intéressait, la trouva enfin. Il lut :

Tu te mettras en quête d'un chat blanc et tu l'étrangleras.

Guido hocha la tête : cela, c'était fait.

Et tu lui trancheras la langue que tu jetteras dans la première eau que tu rencontreras...

Cela aussi, c'était fait.

Et, dans la nuit même qui suivra la mort du chat, tu lui trancheras la tête. Et tu la feras brûler à minuit sonnant. Et tu t'écrieras, comme à chaque fois que tu solliciteras l'esprit immonde : « Eloïm, Essaïm, frugativi et appellari. » Et l'esprit, sans nécessairement se manifester, sera présent. Et tu lui poseras mentalement ta question. Et tu seras tout illuminé par sa réponse.

Guido referma le livre. Il était satisfait. Sa mémoire, toujours bonne, ne l'avait pas trompé sur le rite à observer.

Il gagna le coin de la roulotte, entre la fenêtre et la porte, frotta une allumette, bouta le feu au réchaud à bois qu'il avait préparé, deux heures plus tôt. Puis il retourna s'asseoir au milieu de la voiture et, accoudé à la table boiteuse, éteignit la lampe.

Ainsi, seul et immobile dans le noir, avec, devant lui, le cadavre du chat, Guido, le Bohémien, le sorcier, se recueillit, la tête dans les mains, tandis que son cœur se mettait à battre précipitamment aux approches de minuit.

Devant la porte de la maison du docteur, les deux ombres, confondues un long moment, s'étaient séparées.

— Bonne nuit, Olivier! murmura Edmée.

Elle ajouta presque aussitôt :

– Et dire que, hier encore, je pensais avec désespoir : « Je lui suis indifférente! »

– Petite fille! répondit Olivier.

Il lui prit les mains, les porta à ses lèvres, les couvrit de baisers :

– Je n'osais penser à vous, voilà la vérité. Je détournais la tête, je fermais les yeux... pour les rouvrir tout grands, dès que vous aviez le dos tourné. Edmée, depuis que je vous connais, je me répète que je ne suis pas digne...

– Grand fou! dit-elle.

Et, de nouveau, devant la porte de la maison du docteur, il n'y eut plus qu'une seule ombre. Puis :

– Vous allez rentrer tout droit, n'est-ce pas, mon chéri? pria la jeune fille. Ou je mourrai d'inquiétude!

Elle ajouta, frissonnante :

– Quand je songe à ce qui s'est passé pendant les nuits dernières... Olivier, j'ai tellement peur pour vous!

Il se mit à rire, d'un rire heureux :

– Il ne faut pas, petite fille!... Vous avez vu tantôt que, quoi qu'on puisse penser, je suis de taille à me défendre... Que voulez-vous, mon chéri, j'ai beau me représenter le meurtrier traînant dans les rues avec un pauvre visage hagard et de laides mains démesurées, je ne puis ressentir la moindre peur... Je suis tellement heureux que, ma parole, c'est lui qui aurait peur... peur de mon bonheur...

– Mon chéri!... Tout de même, tu ne t'attarderas pas, tu marcheras au milieu de la rue, tu regarderas autour de toi!... Promets-moi que tu seras prudent!...

Olivier Mascaret promit.

Puis, les adieux terminés, Edmée Hye entrée dans la maison, il s'éloigna.

Il marchait lentement. Il rasait les murs. Il fixait machinalement les yeux sur le sol, devant lui.

Et tout cela en tournant le dos au village, en gagnant la route qui mène à Sijsseele.

Pas plus que la veille, alors qu'il revenait de consulter Guido, il ne pensa à se retourner. S'il l'avait fait promptement, toutefois, il se serait aperçu qu'il était filé, tout comme la veille.

Soudain, au détour du chemin, apparurent les deux roulottes du Bohémien. Ni l'une ni l'autre n'était éclairée, rien ne troublait le silence prodigieux de ce coin de campagne...

(Et, cependant, assis dans la première voiture, devant un chat mort, Guido, le cœur battant, appréhendait et désirait minuit.)

Le professeur Mascaret, courbé, se hâta, sur la pointe des pieds, vers la première roulotte. Lorsqu'il l'eut atteinte, il porta la main à sa poche...

Cependant, longeant, courbé lui aussi, la ligne noire des sapins, l'inspecteur Seb Soroge s'était rapproché. Quand l'instituteur se dirigea vers la seconde roulotte, le policier s'approcha de la première et, masqué par elle aux yeux du professeur, il braqua devant lui le jet de sa lampe électrique.

Il étouffa un cri et, à ce même moment, Olivier Mascaret traça, sur la porte de la deuxième voiture, un signe identique à celui qu'il avait dessiné sur celle de la première, c'est-à-dire un rond à la craie rouge.

XX

ELOIM, ESSAIM...

Seb Soroge attendit, pour lui mettre la main au collet, que le professeur Mascaret fût arrivé devant sa demeure et eût introduit sa clef dans la serrure de la porte d'entrée.

– Bonsoir, dit-il alors. Pas de geste précipité, je vous prie! Mon browning, prêt à partir, se trouve dans cette poche-ci...

– Mais..., fit Olivier.

– Entrez.

– Voyons, monsieur l'inspecteur...

– Entrez, vous dis-je! Nous serons plus à l'aise là-haut pour bavarder.

Le professeur Mascaret tourna un commutateur et le vestibule s'inonda de clarté pendant que l'inspecteur refermait la porte d'un coup de pied.

– Maintenant, montez... Votre chambre est au premier, n'est-ce pas?... Non, non, passez devant!...

L'un derrière l'autre, les deux hommes gravirent l'escalier. L'instituteur buta deux fois contre le bord des marches avant d'atteindre le premier étage.

Quand il eut pénétré dans sa chambre et que l'inspecteur en eut refermé la porte et s'y fut appuyé, les mains toujours enfoncées dans les poches de son veston, Olivier fit un pas en avant :

– Voyons, monsieur l'inspecteur, voudrez-vous bien m'expliquer?...

– Après vous, répondit Seb, ironique.

Il ajouta :

– J'aurais dû y songer... Vous ne devez éprouver aucune difficulté à vous procurer de la craie rouge, au collège?

L'instituteur se laissa tomber sur une chaise en poussant un profond soupir.

– Bon Dieu! s'écria-t-il. Je comprends!...

– Qu'est-ce que vous comprenez?

– De quoi vous me soupçonnez...

Seb attira un siège à lui et s'assit à son tour, à califourchon.

– Rien moins, répondit-il aimablement, que d'avoir étranglé trois personnes.

Il sortit sa pipe de sa poche :

– Notez que, jusqu'à tantôt, je ne croyais pas que ce

pût être vous... Il a fallu que je vous voie de mes propres yeux tracer ces marques de mort...

— Bien sûr, fit doucement Olivier. Maintenant, il n'y a plus de doute.

— Plus de doute que... quoi ? grogna Seb.

— Que c'est moi l'assassin, acheva le jeune homme. N'est-ce pas ce que vous pensez, inspecteur ?

Sa pipe au poing, Seb fit un geste brusque :

— Laissons là ce que je pense... J'attends vos aveux...

Il remua sur sa chaise et acheva, avec une sorte de rudesse bonhomme :

— ... ou des explications.

Le professeur Mascaret sourit.

— Toute réflexion faite, je préfère les explications, dit-il. Une cigarette, monsieur Soroge ?

Seb poussa un grognement, secoua la tête et montra sa pipe.

— Du feu ?

— J'en ai.

Un court silence ponctué par le déclic d'un briquet.

— Eh bien ?

— Voici, dit Olivier. Je suis innocent.

Il se mit à rire, du même rire heureux qu'il avait fait entendre lorsque Edmée lui avait recommandé de prendre garde au mystérieux assassin.

— Sans doute, reprit-il, aurez-vous remarqué qu'on s'est servi, la nuit dernière, pour étrangler le boucher Jules Wyers, d'une règle d'ébène et d'un foulard de soie ?

— Certes, fit Seb. Mais...

— Or, poursuivit le jeune homme, j'ai été, hier soir, vers 8 heures et demie pour être précis, consulter Guido, le Bohémien, sur ma destinée...

— Ah ! oui ? grogna Seb.

« Exact », pensa-t-il.

— Le client, reprit Olivier, à cause de qui Guido

vous a refusé l'entrée de sa roulotte, c'était moi. Je craignais d'être aperçu, surpris. Le souci de ma réputation, d'abord, puis certaine crainte, plus confuse et plus forte... Beaucoup de choses ont changé, pour moi, depuis hier, heureusement!...

Le jeune homme sourit :

– Donc, pendant que, sur la route, vous interrogiez Guido, je me sentais nerveux, inquiet... L'atmosphère de cette roulotte, peut-être aussi... La lampe à pétrole, un vieux livre de magie sur le coin de la table, les tarots encore étalés... Les tarots dont le Bohémien avait, quelques instants plus tôt, fait surgir l'image blanche de la mort... Brrr!... J'écoutai, appuyé contre la porte, les paroles que vous échangiez, j'entendis Guido formuler ses mensonges... En même temps, je froissais machinalement un foulard de soie venu sous ma main je ne sais trop comment, dépendu d'un crochet sans doute... Commencez-vous à comprendre?

– Oui, dit Seb. Ce foulard était sans doute identique à celui dont on a fait usage pour étrangler le boucher?

– En tous points semblable! fit Olivier avec feu. Distrait, je l'avais glissé dans ma poche; je l'en tirai, ce matin, en cherchant mon mouchoir... Je parvins à voir le cadavre de Wyers, le foulard, la règle... Ne vous étonnez pas : dans un village comme Sainte-Croix, l'instituteur compte, avec le curé, le notaire, le maire naturellement, parmi les personnages d'importance; aussi a-t-il libre accès à peu près partout... Je vis, je vous le répète, le cadavre, le foulard, la règle... Et la règle, elle aussi, il me sembla la reconnaître...

– Ho! Ho! fit Seb. Et où croyez-vous l'avoir déjà vue?

– Dans la roulotte de Guido, naturellement. Mais, pour la règle, je puis me tromper.

– Intéressant, reconnut Seb. Mais je ne vois pas très

bien le rapport entre tout cela et les ronds rouges que vous dessiniez tout à l'heure...

– Attendez, dit Olivier. Chacun, dans le village, soupçonne son voisin d'être l'assassin, vous le savez. Les questions posées par vous à Guido, hier soir, m'avaient prouvé qu'il était suspect à vos yeux. Je me souvins de ses mensonges, de certaines attitudes qui, pendant notre tête-à-tête, m'avaient troublé. Enfin, il y avait le foulard !... « Étant admis, pensai-je, que Guido est l'assassin, je serais curieux de voir ses réactions s'il trouvait, demain matin, sur sa porte, un rond rouge semblable à ceux qu'il a tracés sur les maisons de ses victimes. Peut-être, à la suite de cette petite expérience, le meurtrier cessera-t-il de frapper ?... Dans ce cas, Guido, arrêté dans ses criminels desseins par la crainte d'être découvert, s'accusera lui-même... Car, en apercevant les ronds rouges tracés sur sa propre porte, il aura compris qu'une personne au moins savait désormais à quoi s'en tenir sur l'identité du meurtrier et pouvait, d'une heure à l'autre, la révéler à tout venant... »

L'instituteur fit une pause et acheva :

– Ce qui vous expliquera mon geste de tantôt... Mais, monsieur Soroge, je vous garantis que l'on ne m'y reprendra plus à jouer au policier amateur ! On court de trop grands risques... Rien moins, en effet, que de se faire arrêter par les professionnels !...

Il y eut un silence.

– Qui me prouve, dit enfin Seb, pensif, que vous dites vrai ?

Une ombre plus noire remua dans l'ombre de la roulotte, il y eut un léger craquement, une flamme jaillit...

Ayant allumé la lampe, Guido se pencha sur la montre qu'il venait encore une fois de sortir de sa poche. Dans trois minutes, la grande et la petite aiguilles de cuivre auraient toutes deux atteint le chiffre douze.

Le Bohémien tira à lui le tiroir de la table, y glissa la main, en retira un couteau à la lame effilée, dont il tâta, du pouce, le tranchant.

« D'ici quelques instants, pensa-t-il, je t'aurai interrogé, démon! Et, visible ou non, tu m'auras répondu. Je connaîtrai le nom de l'assassin, je pourrai, s'il me plaît, le crier par la rue, je pourrai livrer aux fureurs de la foule déchaînée cet autre démon... A moins que... »

A moins que la réponse de l'esprit ne vînt confirmer d'une façon éclatante les soupçons qu'il éprouvait à l'égard de certaine personne, celle-là même pour qui, sa présence à Sainte-Croix une fois connue, il avait entrepris l'étape, celle-là même qu'il comptait emmener avec lui.

Si c'était elle... A quoi se résoudrait-il? Il ne savait. Dans tous les cas, il ne la livrerait pas.

Guido se pencha sur la table, enfonça son couteau dans le cou du chat, scia la chair. Quand la tête ne tint plus au corps que par un mince et rouge filament, il la saisit par les oreilles, l'arracha...

Il était minuit, exactement.

Le Bohémien, soudain, se sentit faible, sans force et sans défense dans la main de Dieu. Il pensa avec terreur aux puissances cachées qu'il avait entrepris, peut-être inconsidérément, de libérer pour un instant. Il pensa à l'esprit mauvais, à l'esprit immonde qui dormait et qu'il allait réveiller...

Une seconde, il hésita. Pas davantage.

Le bois, dans le réchaud, était à présent incandescent. La tête du chat y tomba et fit jaillir une gerbe d'étincelles. Il sembla à Guido qu'un miaulement tragique s'échappait des braises.

— Eloïm, dit-il à voix haute, Essaim...

Il n'acheva pas, reculant, muet d'épouvante, vers le fond de la roulotte.

La porte s'était ouverte toute grande, sans bruit. Une forme claire se dessina sur le fond noir de la nuit, s'avança, portée, semblait-il, par un courant d'air froid...

Les dents de Guido se mirent à claquer comme des castagnettes. L'esprit immonde était devant lui, il n'en pouvait douter. Il reconnaissait, pour les avoir vus sur cent images, ses longs cheveux raides, ses yeux sans regard, son visage livide et ses mains maigres, brandies comme des serres.

Les termes mêmes de la formule revinrent à l'esprit terrifié de Guido : *Et l'esprit, sans nécessairement se manifester, sera présent.* Il était là, devant lui, il s'était manifesté ! *Et tu lui poseras mentalement ta question.*

Ruisselant de sueur, le Bohémien fut plaqué à la cloison de la roulotte par la peur comme une feuille, arrachée à l'arbre par le vent, est plaquée sur le sol.

L'esprit immonde marcha sur lui, ses lèvres pâles s'entrouvrirent et Guido, avant de mourir, fut *tout illuminé par sa réponse.*

— Je suis l'assassin, dit l'esprit.

XXI

LA TERREUR MONTE

— Le village est désert, dit M. Hanon, d'une voix morne. Plus personne n'ose mettre le nez hors de chez soi. Il n'y a pas une feuille qui ne nous prenne à partie...

D'un geste las, il désignait un tas de journaux empilés sur le coin du bureau du maire.

— Oui, fit à son tour M. Héraly, la situation n'est pas drôle. Quatre meurtres en quatre nuits, un par nuit... Et nous qui sommes là, impuissants !

– Si nous n'arrêtons pas l'assassin, reprit piteusement le substitut, notre carrière est brisée...

– Et moi, intervint M. Binet, j'ai des obligations envers mes administrés. Mes meilleurs amis m'ont adressé des reproches virulents. « Qu'attendez-vous, m'ont-ils dit, pour leur secouer les puces, à ces types de la police?... Hein, qu'attendez-vous? Et eux, qu'est-ce qu'ils attendent? Que nous soyons tous morts?... »

Le maire leva les bras au plafond :

– Qu'est-ce que vous voulez que je leur réponde?

Seb Soroge eut un mot sur le bout de la langue – un gros mot – mais, quelque plaisir qu'il eût éprouvé à le libérer, il le retint.

– Et ce Labar, gémit M. Héraly, qu'allons-nous en faire?... Le relâcher? Il commence par nier avoir assassiné Viroux et Gyther, vous vous en souvenez, puis, pressé de questions, poussé par moi dans ses derniers retranchements, il se reconnaît coupable du premier meurtre, puis du second. Là-dessus, on en commet un troisième et Labar recommence à nier sur toute la ligne...

Seb Soroge tira de sa pipe une bouffée gourmande.

– Un nouveau Leloutre, grogna-t-il. Grâce à lui, le modeste Sainte-Croix se sera vu comparé au Touquet... Occasion unique...

M. Héraly lui jeta un regard noir.

– Monsieur Soroge, dit-il d'un ton gourmé, je regrette de vous voir montrer tant de légèreté en de telles circonstances. Au lieu de cela...

– Je devrais foncer sur les murs, la tête la première, n'est-ce pas? A quoi ça servirait-il, je vous le demande? Ça ferait tout juste une victime de plus!

– Soroge..., commença le substitut.

Sa voix tremblait :

– Soroge, il faut faire quelque chose, n'importe quoi. Il faut...

– Cardot et Henry, répondit l'inspecteur, surveillent la maison menacée; j'ai recommandé moi-même à Mme Prégaux, à ses deux filles et à son neveu de n'en sortir sous aucun prétexte; enfin, une douzaine d'agents de police patrouilleront, pendant toute la nuit, dans les rues du village...

– Parfait! dit M. Héraly. Et, demain matin, nous apprendrons, comme ce matin, comme tous les matins, qu'un nouveau crime a été commis!

Les quatre hommes – le substitut, le juge d'instruction, le maire et l'inspecteur – se trouvaient réunis dans le bureau de M. Binet, au premier étage de la maison communale. La nuit était presque tombée mais aucun d'eux ne songeait à faire de la lumière.

C'était à 6 heures du soir que Hubert Pellerian leur avait rendu visite.

– Je viens, avait-il déclaré, de découvrir un rond rouge – un de ces fameux ronds rouges! – sur la porte de la maison occupée par ma tante. Est-ce à elle qu'on en veut, à l'une de ses filles ou à moi-même? je ne sais. Que faut-il faire?

– Rester chez vous, avait répondu Seb. N'en sortir sous aucun prétexte. D'ici une heure, deux inspecteurs seront postés aux abords de la maison de votre tante, les rues du village seront surveillées par nos agents.

– Enfin, s'écria M. Héraly en abattant son poing sur la table, ce meurtrier n'est pas un pur esprit! Il y a des gens qui ont dû le voir se glisser dans les rues, dont le témoignage pourrait nous être précieux...

– Ces gens-là, répliqua Soroge, n'ont pas vu l'assassin. Ils ont tout simplement aperçu un de leurs voisins, sans l'identifier avec l'assassin. Interrogez chacun à ce sujet et vous vous serez vite rendu compte de la vanité de tels témoignages...

– Et dans la roulotte, naturellement, nul indice?

– Non, rien. Mais je puis vous expliquer ce que faisait sur la table le cadavre de chat qui vous a si fort intrigué. Guido se livrait à quelque innocente pratique de sorcellerie lorsqu'il a été tué. Il invoquait le Malin et, pour ce faire, il a décapité l'animal en prononçant une formule magique : « Eloïm, Essaim, frugativi et appellari »... J'ai appris cela, ajouta Seb, grâce à un vieux volume de sorcellerie à couverture verte qui traînait sur un tabouret; il était ouvert encore à la page consultée par le Bohémien peu avant sa mort...

— Et, cette fois-ci non plus, intervint le maire, on n'a rien volé à la victime, n'est-ce pas?

— J'ai interrogé à ce sujet la femme de Guido, répondit Seb. Il ne lui semble pas que rien ait disparu de la roulotte. Dans tous les cas, Guido, pas plus que Jules Wyers, n'avait d'argent sur lui, au moment de sa mort.

— Mais enfin, inspecteur, s'écria M. Binet, ne voyez-vous aucun mobile à tous ces meurtres? Un commis voyageur, un Bohémien, deux honnêtes commerçants... Pourquoi, diable, a-t-on pu tuer ces gens-là?...

Seb regarda le maire.

— Vous invoquez le nom du diable, dit-il. Savez-vous que, dans ce village, quelqu'un lui est vendu corps et âme? Savez-vous que quelqu'un lui brûle des cierges?

Et, en quelques mots, il mit ses interlocuteurs au courant de la découverte faite, dans le chœur de son église, par le curé Rochus.

— Notez bien, poursuivit Seb, que cette scène s'est renouvelée deux fois depuis lors. Le curé est affolé. Et, malgré la sévère surveillance exercée par le sacristain, on n'a remarqué aucune allée et venue suspecte. Je puis donc déclarer avec une quasi-certitude que cet adorateur de Satan est confondu dans la foule des fidèles comme le meurtrier est confondu dans la foule des honnêtes gens. Et sans doute l'un et l'autre ne sont-ils qu'une seule et même personne...

— Ho! Ho! fit M. Héraly avec un faux enjouement,

vous paraissez rudement bien renseigné sur l'assassin, monsieur Soroge!

En même temps, M. Hanon interrogeait :

– Sincèrement, Seb, n'avez-vous pas la moindre idée sur son identité?...

Seb haussa les épaules et tira un papier de sa poche.

– Voici, dit-il, la liste dont je vous parlais hier. Elle groupe une dizaine de noms. Le premier est celui de M. Binet...

– Hein? s'écria le bourgmestre en sursautant sur son siège.

– Eh oui! dit Seb. Pourquoi pas vous, monsieur le maire? Vous pouvez être l'assassin aussi bien que n'importe qui...

– Mais...

– Aussi bien que Hubert Pellerian qui nous a demandé assistance contre le meurtrier, aussi bien que Dermul, votre secrétaire, aussi bien que M. Verspreet, le vétérinaire, aussi bien, bref, que n'importe lequel des habitants de ce village... Et vous voudriez que je mette le doigt sur l'un d'eux et que je déclare : « C'est celui-là! »

– Personne ne vous a dit..., commença M. Hanon.

– Vous croyez ça, vous? éclata Seb. Et ceci, qu'est-ce que c'est?

Il avait tiré une poignée de télégrammes de sa poche :

– Des félicitations?... Un blâme, oui!... Voilà ce que m'envoient ces messieurs!... Ah! je voudrais les y voir!...

Seb s'était levé et marchait dans la pièce de long en large :

– Ah! ils m'amusent!... Crénom, qu'est-ce qu'ils feraient à ma place?... Réclamer à chacun, sans doute, l'emploi de son temps pendant les dernières nuits écoulées et vérifier soigneusement, minute par minute, chaque alibi?... Ou peut-être survoler le village en

146

avion, dès après le repas du soir, et y envoyer des fusées éclairantes?... Ça serait pour le moins aussi génial... Ah! que je voudrais les y voir avec leurs bonnes petites théories!...

Il se planta devant le maire :

— Monsieur Binet, voulez-vous me donner l'emploi de votre temps, pendant la nuit écoulée?... Non?... Vous prenez ça pour une insulte?...

— Pour une plaisanterie, dit le bourgmestre.

— Soit, grogna Seb. Aussi bien, vous m'avez l'air sain d'esprit.

— Plaît-il? fit M. Binet.

— Ce n'est rien, dit Seb. Une réflexion pour moi tout seul.

Il poussa un soupir et s'assit :

— Que voulez-vous tenter dans un village en état de siège comme celui-ci? Chacun s'enferme à double tour; il y a des volets à toutes les fenêtres. L'assassin peut courir à ses crimes en toute sécurité, il n'y aura personne pour le voir...

Seb fit la grimace :

— Dans cette nouvelle Coventry, sa plus grande difficulté doit être de trouver des victimes...

L'inspecteur se mit à rire :

— Mais ce n'est pas l'imagination qui manque à notre homme, étant admis que l'assassin est un homme... J'ai...

— Quoi? s'écria M. Héraly. Vous envisageriez l'hypothèse d'avoir affaire à une femme?

— Ma foi, repartit Seb, j'envisage plusieurs hypothèses... Mais j'allais vous dire que Mme Wyers, interrogée par moi, son premier accès de désespoir calmé, m'a fait une curieuse révélation...

— Ah? s'exclama M. Hanon avec le subit espoir de voir poindre une petite lueur dans les ténèbres. Que vous a-t-elle dit?

— Elle m'a expliqué pourquoi, malgré ses exhortations, son mari s'est risqué dehors, ce soir-là. Il avait entendu des gémissements et des cris qui lui donnèrent à penser que l'assassin, las de l'attendre, lui, Wyers, cherchait, devant sa maison, à étrangler quelqu'un d'autre... Confiant dans sa force herculéenne, brave de surcroît, le boucher s'arma d'un solide couperet, ouvrit la porte de son magasin et se porta au secours de la personne attaquée...

— Pardon! interrompit M. Héraly. Je ne comprends pas, monsieur Soroge, que vous n'ayez pas tenté de retrouver cette personne. Seul, le boucher a été tué, cette nuit-là. Elle a donc dû échapper à l'assassin et, peut-être, l'a-t-elle reconnu... Comment ne s'est-elle pas fait connaître? Est-ce par peur de représailles de la part du meurtrier?...

— Non, répondit Seb avec un large sourire, c'est pour une raison plus profonde... C'est parce qu'elle n'existe pas! L'avant-dernière nuit, *le démon de Sainte-Croix*, ainsi qu'on l'appelle dans les journaux, a joué à la fois le rôle de l'assassin et de la victime... En ce sens que c'est lui qui a poussé des gémissements et crié au secours dans le but d'attirer Jules Wyers hors de sa maison... Ruse qui a pleinement réussi, comme vous l'avez pu voir...

— Et qu'est-ce qui vous fait croire...? commença M. Héraly.

— Vous l'avez dit vous-même, monsieur le juge : pourquoi la victime de l'agression, cause initiale du trépas prématuré de Jules Wyers, ne se serait-elle pas fait connaître?... D'autre part, la femme du boucher, qui s'est précipitée sur les traces de son mari, n'a vu s'enfuir qu'une seule ombre... Si l'assassin avait d'abord attaqué quelqu'un d'autre, ce quelqu'un, sans doute mal en point, n'aurait pu s'enfuir aussi précipitamment... Et pourquoi l'aurait-il fait? D'ailleurs, notre assassin ne tue qu'une fois par nuit – qui ne sut se borner... – et toujours la personne qu'il a décidé de tuer, celle qu'il a condamnée en traçant une marque rouge sur la porte qu'elle occupe...

Il y eut un silence.

Ce fut M. Hanon qui le rompit :

— Et qui pensez-vous, Seb, interrogea-t-il, qui soit en danger, cette nuit?

Seb Soroge sourit :

— Ah! si la vie était un roman!...

— Eh bien? fit le substitut.

— J'aurais le choix entre deux assassins...

— Hein?... Le choix... entre qui?

Mains aux genoux, Seb se pencha vers son interlocuteur :

— Supposez un roman policier qui réunisse les personnes les plus connues de ce village, tous les noms, par exemple, groupés sur ma petite liste et qui sont ceux des fidèles remarqués par moi, hier, à la messe. L'auteur du roman cherche parmi eux un coupable à livrer à ses lecteurs... Qui choisira-t-il?

L'inspecteur fit une pause. Puis :

— L'héroïne du roman en question serait, sans conteste, la fille du Dr Hye : Edmée. Elle est jolie, séduisante, c'est exactement le type de jeune fille destiné à plaire à un auteur de romans policiers. De plus, elle est aimée par deux hommes...

— Ah! fit M. Binet, d'un ton plein d'intérêt. Dites-nous par qui!

Seb hésita un instant avant de répondre :

— Je puis bien vous le dire... puisqu'il s'agit d'un roman. Ses soupirants sont l'instituteur Mascaret et Hubert Pellerian...

L'inspecteur se mit à rire :

— Eh bien, dans le roman dont je vous parle, le mystérieux assassin, l'insaisissable meurtrier, *le démon de Sainte-Croix* serait un de ces hommes... Du moins, il y aurait quatre-vingt-dix-neuf chances sur cent pour que l'auteur fasse, d'un de ces deux hommes, le meurtrier...

— Et pourquoi cela? demanda M. Hanon.

— Pour une raison bien simple, repartit Seb. Avez-vous lu beaucoup de romans policiers, monsieur le Substitut?... Non?... Moi, oui... Et je me suis aperçu que, dans cette sorte d'ouvrages, l'auteur, en général, ne perd pas son temps à mettre en scène de personnage inutile au récit. Tous sont considérés par lui comme des pions sur un échiquier, il n'y en a pas un seul qui demeure étranger au succès de la partie. Or, vous admettrez volontiers qu'un seul soupirant suffit à pourvoir notre héroïne; ainsi le côté sentimental est-il réglé. Alors, dites-moi, pourquoi mettre en scène *un second soupirant?...* Voici donc un personnage *qui nous paraît inutile...* Mais il ne l'est pas! Grâce à lui, en nous procurant l'illusion qu'il est accueilli sans déplaisir par l'héroïne, l'auteur abusera facilement son lecteur. Et, en fin de compte, ce « personnage en surnombre », ce personnage sacrifié, sera repoussé par l'héroïne... Sur lui, alors, tous les péchés d'Israël!

L'inspecteur secoua les cendres de sa pipe contre le talon de son soulier et acheva :

– Ce pourquoi je vous disais que, sur le plan du roman, l'énigme serait facile à résoudre... Pellerian ou Mascaret? L'assassin serait celui des deux qui n'aurait pas eu l'heur de plaire à la jolie Edmée.

– Hélas! fit M. Hanon, nous n'avons pas à deviner l'issue d'un roman, nous sommes en pleine tragédie et...

– Un véritable jeu de massacre, dit Seb. A croire, n'est-ce pas, que le meurtrier frappe à tort et à travers...

Il répéta songeur :

– A tort et à travers...

On avait monté, dans la chambre de Mme Petyt-Havet, le maigre canapé de la salle à manger et on en avait fait un lit que Mme Mol, la femme du marchand de cycles, déclarait excellent.

Il y avait trois nuits qu'elle y couchait dans le but de rassurer son amie la mercière qui, au lendemain du meurtre de Viroux, avait publiquement avoué ses terreurs et déclaré ne plus oser, après ce qui s'était passé, occuper seule sa chambre.

Ce soir-là, comme les soirs précédents, les deux femmes, lampe au poing, gagnèrent le premier étage quelques instants après que Louise Bosquet fut montée se coucher. En se glissant entre leurs draps, elles s'entretinrent, une fois de plus, des crimes horribles, dont la relation détaillée occupait, chaque matin, la première page des journaux :

– Pour moi, ma chère, dit Mme Mol, j'ai l'intuition que c'est une affaire de vengeance, à moins que l'œil de Moscou...

Cela commençait toujours ainsi : la femme du marchand de cycles puisait ses intuitions dans le feuilleton publié par le journal local.

Lorsque la lampe fut éteinte, Mme Mol, pendant un instant, se tut.

La mercière en profita pour parler à son tour.

– Quand je pense, dit-elle, qu'il y a quatre nuits, nous étions toutes deux tranquilles, moi ici, dans mon lit, et Louise couchée où vous l'êtes, lorsque cette chose affreuse se produisit...

Un profond soupir souleva sa poitrine :

– Ah! je sens bien que je ne m'en remettrai jamais tout à fait!...

– L'assassin..., murmura Mme Mol. Nous lui serrons peut-être la main chaque jour...

Et elle se tourna vers le mur.

Mme Petyt-Havet entendit bientôt sa respiration égale et elle l'envia de trouver aussi vite le sommeil. Quant à elle, des images désordonnées, violentes, tragiques, se pressaient devant ses yeux. Elle avait beau fermer les paupières, elle les voyait encore. Et s'enfoncer la tête dans l'oreiller, elle les voyait encore... L'aube, enfin, les lui restituait intactes.

Désespérément, Mme Petyt-Havet cherche le sommeil cependant qu'elle pressent le drame. Tous les bois de la maison craquent et gémissent, la mercière prête l'oreille aux bruits suspects venus, semble-t-il, du dehors...

Soudain, elle sent un frisson lui courir le long de l'échine, ses dents claquent brusquement.

Mme Mol s'est dressée sur son séant.

— Qu'est-ce... Qu'est-ce que c'est? dit-elle.

Une plainte s'est élevée, navrante, a frappé les carreaux. Il y a un choc sourd, au-dehors, comme la chute d'un corps.

— Qu'est-ce que c'est? répète Mme Mol sur un ton aigu, rapide, haletant, qui fait pressentir la crise de nerfs.

— Je crois que..., balbutie Mme Petyt-Havet.

Comprimant d'une main les battements de son cœur, elle se laisse glisser hors de sa couche. Elle frotte une allumette. Lumière.

Mme Mol, appuyée au mur, est livide.

Les deux femmes se regardent. Maintenant qu'elles y voient clair, elles sentent l'épouvante, petit à petit lâcher prise...

Mais laquelle des deux va aller jusqu'à la fenêtre, lever le store, écarter le rideau, regarder dans la rue? Laquelle des deux va oser faire cela? Elles se consultent du regard, réciproquement, elles décèlent la peur en elles, la peur tapie en elles comme une bête qui ronge...

A ce moment, un bruit retentit dans l'escalier. Puis on frappe à la porte.

Mme Petyt-Havet, pâle comme une morte, s'assied sur le bord d'une chaise pour ne pas tomber.

On frappe plus fort et une voix crie :

— C'est moi, madame! Ouvrez...

La voix de Louise.

— Je viens, gémit la mercière.

Elle se lève et, s'appuyant de meuble en meuble, se traîne vers la porte, tourne la clef dans la serrure, tire à elle le battant.

La maigre et chétive silhouette de Louise Bosquet surgit de l'obscurité qui emplit la cage d'escalier. La jeune fille a jeté un méchant châle noir sur ses épaules, elle a des pantoufles aux pieds, une mèche de cheveux lui cache un œil.

– Madame..., dit Louise.

– Un... Un crime encore, n'est-ce pas? fait la mercière.

– Je le crains, madame. Par la fenêtre de ma chambre, j'ai aperçu une masse noire étendue sur la chaussée, devant la maison.

Les reporters envoyés à Sainte-Croix par les grands quotidiens de Bruxelles et même de Paris, les journaux de Bruges, d'Ostende, etc., avaient établi leur quartier général dans la grande salle du Cheval-Blanc.

C'est là, sur le coin des tables de marbre, qu'étaient rédigés à la hâte les articles à sensation qui passionnaient, depuis le commencement de la semaine, l'opinion publique. C'est du bureau de poste, situé en face de l'hôtel, qu'ils étaient expédiés, par télégramme ou par lettres express, à moins qu'ils ne fussent téléphonés...

Ce soir encore, règne une animation qui va croissant chaque jour avec le nombre des reporters envoyés sur les lieux. M. Lepomme, le patron du café, erre de table en table, un peu désorienté, regrettant dans le fond de son cœur les paisibles joueurs de bridge de jadis.

Il est 10 heures et demie et il y a un de « ces Messieurs » qui travaille toujours. Il termine un article. Après avoir consigné des faits, il en est arrivé à des considérations, des réflexions personnelles, il donne libre cours à une inspiration stimulée généreusement par l'absorption répétée de pintes d'ale :

La terreur règne au village et la lumière du jour elle-même s'avère impuissante à dissiper les phantasmes. On se jette des regards obliques, on se pose des questions auxquelles, on le sait, personne ne pourrait répondre : « Qui est l'assassin? Qui sera la victime de demain? »

Et cette nuit-ci sera-t-elle encore marquée par un nouveau meurtre? On se demande cela en frissonnant, on aspire à voir, aux carreaux, poindre l'aube.

La porte du café fut poussée, il y eut un brouhaha, un tumulte indescriptibles. « Plus un! » hurla quelqu'un.

Une heure plus tard, le même journaliste, assis à la même table, se mettait en devoir de compléter son « papier » :

UN NOUVEAU MEURTRE

Pour la cinquième fois, un homme a été étranglé à Sainte-Croix. Il s'agit, aujourd'hui, d'un malheureux jeune homme, M. Hubert Pellerian, qui, détail navrant, s'était fiancé la veille...

XXII

PRENEZ GARDE AU FOU

— Voyez-vous, dit Seb, l'hypothétique auteur du roman que je supposais, hier, inspiré par cette sanglante affaire, se verrait aujourd'hui obligé, par suite de la marche nouvelle prise par les événements, d'en modifier la fin...

— Ah! bah? fit M. Hanon. Pourquoi?

— L'instituteur Mascaret, répondit l'inspecteur, ayant été choisi par notre héroïne — vous savez que, dans un village comme Sainte-Croix ces choses-là finissent toujours par se savoir... — devient, par là même, le héros du roman, une sorte d'incarnation du beau et du bien alors que son rival, Pellerian, est ravalé au rôle de traître, c'est-à-dire de coupable...

— Mais...

— Mais Pellerian a été tué. De coupable, le voici

passé au rang des victimes et il faudra que notre auteur infortuné cherche un autre meurtrier... Tant mieux du reste car, si la première solution eût été banale pour avoir trop de fois déjà tenté les romanciers, la seconde, celle que je pressens maintenant, me paraît remarquable.

– Trêve de mystères! s'écria le substitut. Seb, ne pouvez-vous me dire ce que vous avez découvert concernant l'assassin?

L'inspecteur bourra sa pipe.

– Je veux bien, répondit-il.

Il croisa les jambes, se carra sur son siège :

– Examinons d'abord le mobile qui guide le meurtrier... Sont-ce crimes d'intérêt, crimes passionnels? S'agit-il de vengeance, de chantage?... Toutes ces hypothèses sont éliminées par suite des personnalités toutes différentes des victimes – entre elles, nul lien de parenté ou autre – et des constatations faites... Nous avons découvert une raison au meurtre de Viroux en apprenant qu'il courtisait la femme de Labar, qu'il voulait s'enfuir avec elle, que le marchand-tailleur avait proféré des menaces de mort à l'égard du commis voyageur et qu'il s'était mis, avec la dernière violence, en travers du projet de sa femme. Ici, le mobile est évident : crime passionnel. Passons au second meurtre, celui du pharmacien. Nous avons le choix entre deux motifs et, dans un instant, je vous prouverai que l'assassin n'a été inspiré ni par l'un ni par l'autre...

Seb alluma sa pipe et poursuivit :

– M. Héraly est ou, tout au moins, était d'avis que l'on (Labar) avait tué M. Gyther pour l'empêcher de révéler à la justice ce qu'il savait, c'est-à-dire que le marchand-tailleur avait acheté du narcotique pour endormir sa femme; vous savez comment, dès l'abord, j'ai réfuté cette hypothèse. Le second motif pourrait être le vol car on a dérobé au pharmacien son portefeuille contenant – j'ai pris mes renseignements – une somme de quatre cent vingt-cinq francs. Mais, ce

second mobile étant admis comme le plus vraisemblable, je vous ferai remarquer que nous ne pouvons plus
alors accuser Labar d'avoir tué M. Gyther. Dans le
premier cas, l'amour arme le bras de l'assassin; dans le
second, c'est l'intérêt... Et dans le troisième cas?
Pourquoi a-t-on tué le boucher Jules Wyers? Je vous
défie de suggérer, à ce propos, quelque chose de
raisonnable... Puis il y a le meurtre de Guido. Ici, je
serais enclin à croire que le Bohémien est mort parce
qu'il en savait trop long, parce qu'il soupçonnait
l'assassin pour une raison inconnue de nous; je base
cette hypothèse sur l'occupation pour le moins étrange
à laquelle se livrait l'Italien au moment de sa mort...
Venons-en enfin à l'assassinat de Hubert Pellerian...
Ici non plus, aucune raison apparente. Nous savons
seulement que la victime s'est disputée et battue la
veille avec l'instituteur Mascaret, ce qui serait, pour ce
dernier, une circonstance accablante s'il n'était mis
définitivement hors de cause...

M. Hanon haussa les sourcils.

— Pourquoi cela? fit-il.

— Je vous le dirai dans un instant... Donc, nulle
raison apparente au meurtre de Pellerian. Et pourquoi
ce jeune homme a-t-il, malgré mes recommandations
pressantes, quitté la maison de sa tante?... Je suppose...

— M. Héraly, interrompit le substitut, est en train de
perquisitionner dans la chambre occupée hier encore
par la victime dans la villa de Mme Prégaux. Peut-être
trouvera-t-il quelque chose qui...

— Peut-être! fit pensivement Seb. D'ailleurs, qu'il
trouve ou non, cela n'est pas, à mon avis, d'une
importance capitale. Ce que je déplore, naturellement,
c'est que Cardot et Henry se soient laissé jouer comme
des enfants; ils ne pensaient qu'au danger qui pouvait
venir du dehors (comme si l'assassin, d'un moment à
l'autre, allait sonner à la porte de la villa!) et ils ont
tout à fait négligé l'autre danger, celui que pouvait

présenter une sortie subreptice d'un des occupants de la maison... Enfin!...

Seb soupira et reprit :

– Par ce trop bref coup d'œil jeté en arrière, vous vous êtes sans doute aperçu que j'avais raison de vous déclarer hier : « A croire que le meurtrier frappe à tort et à travers... » Et, à force de réfléchir à cela, en examinant particulièrement certains aspects de l'affaire, j'en suis arrivé à cette conclusion, la seule logique à mon sens : *il n'y a aucun mobile* aux crimes commis, *l'assassin tue pour le plaisir de tuer*... et voilà pourquoi, acheva Seb avec mauvaise grâce, il n'est pas encore arrêté!...

Le substitut toussa pour s'éclaircir la voix et interrogea, haletant :

– Voyons, Seb, voulez-vous... Voulez-vous dire que l'assassin est *fou?*

– C'est cela même, dit l'inspecteur. Il est fou.

Il y revint :

– Absolument fou.

– Ce n'est pas possible! s'écria M. Hanon. Un fou ne pourrait pas... Qu'est-ce qui vous fait croire cela?

– Je viens de vous le dire : les fameuses marques de mort, ces cierges mis à brûler au diable dans le chœur de l'église, la lettre anonyme que vous avez reçue avant-hier, et, enfin, la force considérable qu'a dû dépenser le meurtrier pour venir à bout d'un colosse comme Jules Wyers, le boucher.

– Je ne vois pas...

– *Primo*, les marques de mort. L'idée de prévenir d'une façon aussi rocambolesque ceux qu'il va frapper ne peut germer que dans le cerveau d'un être privé de raison; pour courir délibérément un tel risque, il faut que l'assassin ne soit pas apte à se rendre compte du danger suspendu sur sa tête – ou bien il ne le courrait pas. Marquer la porte de certaines maisons, savoir, dès ce moment déjà, à qui l'on s'en prendra au cours de la nuit qui va venir et, chaque fois, mettre son projet à exécution, en recourant parfois à des ruses comme celle qui fut employée pour attirer Jules Wyers hors de chez lui, tout cela n'est-il pas le fait d'un fou meurtrier extrêmement lucide lorsqu'il s'agit pour lui de satisfaire sa fatale manie?... *Secundo*, les cierges. Cela aussi ne proclame-t-il pas la vérité? Voyez-vous un être sain d'esprit se livrer à de tels actes? C'est lorsque le curé m'a appris ce détail que mes derniers doutes se sont envolés. *Tertio*, la lettre anonyme. Ah! ceci est particulièrement intéressant... Reprenons-en le texte, si vous le voulez bien...

Seb sortit de sa poche une feuille pliée en quatre, la déplia, l'étala sur la table.

— D'abord, dit-il, l'auteur de cette lettre s'est servi de la main gauche pour contrefaire son écriture. J'ai un peu étudié la graphologie et, maintes fois, l'examen de certains textes m'a permis de diagnostiquer, chez ceux qui les avaient rédigés, un commencement de déséquilibre mental. Ici, ce déséquilibre est évident. Voyez, l'auteur de la lettre n'a redoublé aucune consonne : *permetez, conseiler, interoger, persones, tranquiles, Pelerian, vieile, aprendrez*. Notez que cela ne peut, en aucune façon, être considéré comme des fautes d'orthographe, tout le reste étant rédigé correctement. A mon sens, il faut voir là l'indice d'une curieuse et partielle déficience mentale, la preuve que l'auteur de la lettre est gouverné par une idée fixe. Je puis enfin vous déclarer qu'il y a neuf cent quatre vingt-dix-neuf chances sur mille pour que ce billet ait été écrit par une femme...

— Par une femme! s'écria M. Hanon qui allait de surprise en surprise. Mais puisque...

— Toutefois, poursuivit Seb sans prendre garde à l'interruption, je ne puis l'affirmer formellement, car le texte est dû à un être qui a perdu le contrôle de lui-même : son écriture, par conséquent, a subi des altérations et des modifications tellement profondes qu'elle peut avoir acquis des caractéristiques inhérentes à l'autre sexe... Telle n'est cependant pas mon opinion.

– Mais, fit remarquer M. Hanon, le *quarto* de votre raisonnement combat, dans ce cas, le *tertio*. Vous parliez de la force considérable dépensée par le meurtrier pour étrangler Jules Wyers... Comment conciliez-vous que l'auteur de la lettre anonyme, donc le fameux *démon de Sainte-Croix*, est une femme?...

– Homme ou femme, répondit Seb, il s'agit d'un être dont la raison a sombré et dont les forces se sont, par le fait même, décuplées; les spécialistes en la matière – Brouardel, notamment – déclarent que l'étranglement par surprise *n'exige aucune force*. De toute façon, le cou de taureau de Jules Wyers n'aurait pu résister à la pression exercée par des mains sans doute frêles mais obéissant à la formidable impulsion issue d'un cerveau déréglé; n'oubliez pas, d'ailleurs, qu'une règle d'ébène, faisant office de garrot, a été, cette fois-là, employée par le meurtrier...

L'inspecteur ralluma sa pipe qu'il avait laissé éteindre :

– Cette règle, d'après l'instituteur Mascaret, proviendrait des roulottes de Guido, ainsi que le foulard de soie, de couleur vive, dans lequel la règle était nouée. L'instituteur certifie, tout au moins, avoir vu les pareils dans la roulotte. Je compte interroger tout à l'heure, à ce propos, Maria, la femme du Bohémien.

Seb se pencha vers le substitut :

– Que penseriez-vous de grandes affiches rouges que l'on placarderait sur les murs du village, où l'on mettrait la population en garde contre les dangers qu'elle court et qui porteraient ce titre en lettres grandes comme ça : *Prenez garde au fou.*

– Je pense, répondit M. Hanon, que ce serait le meilleur moyen de semer la panique...

– Peut-être, admit l'inspecteur, mais cela me susciterait, en même temps, mille collaborateurs bénévoles ce qui, je vous en préviens, ne serait pas exagéré.

Veuillez considérer, en effet, que dès mon arrivée dans ce village, j'ai pressenti la vérité; rappelez-vous que mon premier soin a été de me promener par les rues, de prêter l'oreille aux commérages, d'examiner, au passage, le regard, la démarche, l'attitude de chacun... Déjà, guidé par une curieuse prescience, *je cherchais le fou – ou la folle*; inconsciemment, j'emmagasinais des souvenirs visuels qui, tous, depuis, me sont fidèlement revenus à l'esprit. Eh bien, de tous ces gens rencontrés, je ne puis vous dire qu'une chose, c'est qu'ils m'ont paru sains d'esprit; mais les sondages que j'ai opérés en eux, en leur adressant, par exemple, la parole au passage, en sollicitant leurs réflexes d'une façon ou d'une autre, ont été forcément, jusqu'à présent, ridiculement superficiels. Quelles ressources nous reste-t-il? Faire examiner tous les habitants du village par des médecins aliénistes?... N'y pensons plus! D'autre part, notre fou doit si bien cacher sa folie qu'elle ne se révèle sans doute qu'au moment de la crise, crise qui éclate régulièrement chaque nuit...

– Quant à moi, fit M. Hanon, je suis certain qu'il ne peut manquer de se trahir...

– Oh! bien sûr! admit Seb. Ses crises croîtront sans doute d'intensité et de fréquence... C'est-à-dire que, avant que nous ayons pu mettre la main dessus, ce démon aura doublé, voire triplé, le nombre de ses victimes.

– Mais c'est horrible! s'écria le substitut. De ma vie je n'ai assisté à un pareil carnage...

– Eh oui, murmura Seb, pensif, c'est horrible. Par quel moyen *logique* découvrir l'identité de ce monstre *illogique?*

Il sortit de sa poche les télégrammes, tout froissés, qu'on lui avait expédiés coup sur coup de Bruxelles :

– Comment voulez-vous leur expliquer cela, à *eux?* Que peut notre pauvre raison humaine contre la fantaisie meurtrière d'un fou?

– Mais, fit M. Hanon, les témoignages... les indices...

– Vous savez aussi bien que moi qu'ils nous font
totalement défaut et, en aurions-nous, que, sans doute,
nous n'en pourrions tirer nul profit. J'imagine qu'ils
contribueraient à nous égarer plutôt qu'à nous mettre
sur la voie... Non, non, dans cette affaire, seule peut
nous permettre d'aboutir l'inspiration pure...

Le substitut poussa un soupir; les foudroyantes
révélations de l'inspecteur avaient couvert son front de
sueur. On le sentait désorienté et, en même temps,
cabré devant la vérité entrevue.

– Il est inadmissible, dit-il enfin, qu'un fou – ou
qu'une folle – mette en échec des... des...

– Des hommes d'esprit? suggéra Seb. C'est pour
vous que je parle, monsieur le substitut.

Il étendit les bras, bâilla :

– Précisément. Des fous auraient, je crois, plus de
chance que nous de débrouiller l'énigme, de découvrir
cet autre fou que nous cherchons. Avec un peu de
chance, ils se rencontreraient sans doute tous sur un
terrain propice, élu par leur commune folie... croyez-
moi, le *bon bout de la raison* de Rouletabille n'a pas
grand-chose à faire ici.

– Votre liste? dit M. Hanon. J'aimerais la voir...

– Volontiers, consentit Seb. Mais elle ne groupe, je
vous l'ai dit, que les gens de ce village connus de moi.
C'est vous dire qu'elle est fort incomplète. Comme,
d'autre part, presque toutes ces personnes ont au
moins un alibi, et un formel alibi, pour l'un ou l'autre
crime, il se pourrait que le meurtrier fût un habitant
du village dont, jusqu'à présent, nous ignorions jusqu'à
l'existence.

Le substitut s'empara de la liste que lui tendait
l'inspecteur. Il sourit, pour la première fois au cours de
cet entretien, et il murmura :

– Ce serait bien dommage, Seb, pour la fin du

roman que vous supposiez inspiré des événements actuels.

— Certes, répondit Seb. Ce serait bien dommage...

— *Mon seigneur et mon Dieu, je suis triste et repentante de vous avoir offensé, non seulement parce que j'ai perdu le Ciel et mérité l'Enfer...*

A travers le grillage du confessionnal, la maigre voix parvenait assourdie à M. le curé Rochus somnolent :

— *... mais surtout parce que vous êtes infiniment bon et parfait et que le péché vous déplaît. Je vous en demande humblement pardon par les mérites de Jésus-Christ...*

L'église était déserte et silencieuse et le curé Rochus, fatigué par ses nuits sans sommeil, des nuits consacrées maintenant tout entières à la prière, goûtait, la nuque appuyée à la cloison de bois, un court repos. Les paroles de l'acte de contrition le berçaient doucement :

— *... et je me propose, moyennant votre sainte grâce, de ne plus jamais vous offenser, de faire pénitence et de mieux vivre à l'avenir. Ainsi soit-il.*

M. le curé Rochus se signa, il respira bruyamment et, paupières entrouvertes, une main logée en cornet autour de son oreille, il se pencha vers le visage qui, dans l'ombre, faisait une tache claire :

— Je vous écoute, mon enfant.

Puis il referma les yeux pour que son regard ne troublât point la pécheresse. La ronde figure du prêtre avait pris son habituelle expression d'indulgence et de recueillement. Ses gros doigts, enroulés dans un chapelet, étaient joints à hauteur de sa poitrine, il était prêt à tout entendre et à tout pardonner.

Il répéta :

— Je vous écoute, mon enfant.

Cependant, rien ne rompit le silence, si ce n'est, de

l'autre côté du grillage, une respiration courte, précipitée.

Etonné, le prêtre rouvrit les yeux et son regard
tomba sur ceux de la pécheresse. Jamais, pensa-t-il, il
ne les avait vus d'aussi près et aussi grands.

– Qu'y a-t-il, mon enfant? murmura-t-il. Auriez-
vous commis quelque mauvaise action?... Vous devez
avoir confiance en l'infinie bonté de Dieu...

– Mon père, balbutia une voix fiévreuse, une voix
que le curé ne put reconnaître tant elle était altérée, je
suis celle qu'*ils* cherchent...

– Celle que?... Expliquez-vous plus clairement,
mon enfant. Je ne vous comprends pas bien.

Il y eut un silence pendant lequel la silhouette
agenouillée dans le confessionnal parut, plus courbée
tout à coup, rassembler ses forces.

– Mon père, dit-elle enfin, je m'accuse d'avoir pré-
maturément mis un terme à quatre vies humaines.

XXIII

LE SENTIER DU CIMETIÈRE

– Ce serait bien dommage, Seb, pour la fin du
roman, que vous supposiez inspiré des événements
actuels, avait murmuré M. Hanon, le substitut du
procureur du roi, en saisissant la liste que lui offrait
l'inspecteur.

Et ce dernier avait répondu :

– Certes, ce serait bien dommage.

Mais le magistrat ne l'entendit même pas. Avec
avidité, il déchiffrait la liste dressée par le policier.

– Je vois ici vingt et un noms, dit-il, après un temps.
Il est bien entendu, Seb, que ceci n'est nullement le
résultat d'une classification? Vous n'avez groupé,
n'est-ce pas, que les noms des gens reconnus par vous
à l'église?

– C'est bien cela, répondit l'inspecteur.

– Donc, je ne dois pas en déduire que vous accablez de vos soupçons des gens comme M. Cosse, le notaire, et Mme Cosse – dont je vois ici les noms?

– Je soupçonne tout le village, monsieur Hanon, vous le savez, et particulièrement les femmes... Mais certainement pas M. et Mme Cosse plus que d'autres. Plutôt moins. N'y a-t-il pas, d'ailleurs, une croix et des chiffres à côté de leur nom?

– Si, dit le substitut. Une croix et trois chiffres. Qu'est-ce que cela signifie?

– La croix, expliqua Seb, signifie : alibi. Il y a autant d'alibis qu'il y a de chiffres et ceux-ci correspondent aux crimes. Ainsi, vous lisez pour le ménage Cosse : × 1, 3, 4. Cela veut dire que le couple m'a fourni un satisfaisant emploi de son temps en ce qui concerne les nuits pendant lesquelles ont été commis le premier, le troisième et le quatrième meurtres. Or, en me fournissant la preuve qu'ils sont innocents de ces trois crimes, ils me fournissent également celle qu'ils sont innocents des deux autres.

– Pourquoi cela?

– Ne s'agit-il pas d'une série? Dans ce cas, qui est reconnu innocent d'un crime est également, par là même, reconnu innocent des autres... Ce qui ne manque pas de faciliter grandement les choses : que l'on me donne deux alibis et je proclame une innocence!

– Deux?... Un alibi ne suffit-il pas?

– Cela dépend.

– Mais encore?

– Mettons que j'en réclame deux par mesure de prudence, par minutie, de peur que le premier ne résiste pas à un examen plus approfondi.

– Soit, fit M. Hanon. Mais vous me cachez quelque chose, Seb.

Il avait jeté un nouveau coup d'œil sur la liste :

– Donc, le couple Cosse est hors de cause, trois fois

164

hors de cause. Je suppose que vous avez vérifié ou fait vérifier tous les alibis que l'on vous a fournis?

— Naturellement. Ainsi, pour les Cosse...

— Non, non, s'effara M. Hanon. Laissez... Cela nous mènerait trop loin.

Il posa sur la table la liste qui était ainsi conçue :

Mme Prégaux	X 1, 2, 3, 4, 5.
Berthilde Prégaux	idem.
Yvonne Prégaux	idem.
Docteur Hye	
Edmée Hye	
Olivier Mascaret	X 3, 4.
M. et Mme Mol	X 2, 3, 4, 5.
M. Binet	
M. Dermul	X 2, 3, 4, 5.
Mme Labar	X 1.
La vieille Estelle	
Mme Petyt-Havet	X 1, 2, 3, 4, 5.
Louise Bosquet	idem.
M. Verspreet	X 1, 2.
Dykmans	X 2, 3, 4.
Mme Gyther	
M. Lepomme	X 1, 2, 3, 4, 5.

— Et, interrogea le substitut, lorsqu'il n'y a ni croix ni chiffres à côté d'un nom, qu'est-ce que cela veut dire?

— Tout simplement, répondit l'inspecteur, que la personne en question n'a pas encore été interrogée par moi.

— Vous me disiez tout à l'heure que l'instituteur Mascaret était hors de cause... Pourquoi?

— J'ai eu, avec lui, une longue conversation. Il avait eu le tort de vouloir jouer au policier amateur, la nuit même, précisément, où l'on a assassiné Guido. Nous avons passé quelque temps ensemble, pendant que l'on tuait le Bohémien... Voilà donc, si je ne me trompe, un solide alibi. Au surplus, ajouta Seb en souriant, si le professeur donne, par moments, l'impression de n'avoir pas toute sa tête à lui, c'est uniquement parce qu'il est amoureux.

– Je vois, dit M. Hanon, que vous avez supprimé de votre liste – pour cause de décès – le nom de Pellerian. Vous eussiez pu, à mon sens, en supprimer d'autres.

– Ah! fit Seb. Lesquels?

– Ceux, notamment, de Mme Gyther, veuve d'une des victimes, de Mme Petyt-Havet, la mercière, et de Louise Bosquet, sa servante, qui ont découvert le premier crime, de...

– Pour l'amour de Dieu, arrêtez! s'écria Seb avec bonne humeur. Si vous commencez comme cela, vous allez flanquer toute ma liste par terre. Vous...

A ce moment, la porte du bureau céda sous la pression d'une sorte de bolide... M. Héraly.

On apercevait derrière lui, sur le palier, M. Binet, le maire, l'inspecteur Cardot et deux agents.

– C'est formidable! Inouï! s'écria le juge d'instruction en s'approchant du substitut et de Seb.

Il saisit le premier d'entre eux par le bras :

– Je reviens de la villa Prégaux. J'ai mis sens dessus dessous la chambre jadis occupée par feu Pellerian... Et qu'est-ce que j'ai trouvé?

Il porta la main à sa poche, brandit une lettre :

– Ceci!...

– Qu'est-ce que c'est? interrogea Seb.

Le juge d'instruction leva un redoutable index :

– C'est la raison, monsieur, pour laquelle la cinquième victime du *démon de Sainte-Croix* a quitté son domicile, la nuit dernière, malgré notre défense... Lisez!...

Seb et le substitut avancèrent le nez, penchèrent la tête. Ils lurent :

    Hubert,

Je voudrais vous voir. Je déplore la scène d'hier. Soyez aujourd'hui dans la Grand-Rue, un peu avant

minuit, devant le magasin de Mme Petyt-Havet. Je
peux facilement sortir la nuit sans que mon père s'en
aperçoive. Venez.

– Et c'est signé? hurla M. Héraly. C'est signé :
Edmée!

Il se tourna vers l'inspecteur :

– Hein, que pensez-vous de cette lettre, monsieur
Soroge?

– Bien que ce billet-ci, répondit le policier, ne
contienne nul mot avec consonnes redoublées – ce qui
nous fournirait une preuve irréfutable –, je puis affirmer qu'il a été rédigé également par l'*ami* qui a bien
voulu nous envoyer une lettre anonyme...

– C'est-à-dire, acheva M. Hanon, par le *démon de
Sainte-Croix* en personne!

Ainsi, il était là, tout près, de l'autre côté du grillage
de bois, le monstre qui terrorisait le village depuis cinq
nuits, et c'était son souffle pressé, chaud, son souffle de
bête, que M. le curé Rochus sentait passer sur ses
mains...

Le prêtre recula comme devant une incarnation de
l'esprit mauvais et il se signa précipitamment. Adossé
au fond du confessionnal, il dompta, cependant, sa
misérable peur d'homme et, se disant que celle qui se
trouvait là était, malgré tout, une créature de Dieu, il
se força à recueillir ses horribles aveux.

Maintenant que les paroles essentielles étaient dites,
la femme, sans honte, sans forfanterie, comme elle eût
parlé de choses à elle étrangères, contait, d'une voix
monotone, comment et pourquoi elle avait tué :

– Mon père, j'ai l'enfer en moi. Comprenez-moi
bien : je crois que je suis folle. Oh! très certainement,
je suis folle!... Je me le dis, je me le répète tout le jour
durant et, lorsque la nuit tombe, je pense que j'ai été
folle pendant le jour et qu'il est grand temps de tuer
quelqu'un pour que tout rentre dans l'ordre...

– Malheureuse enfant! murmura le prêtre.

Il sentait la sueur perler à son front tandis que ses membres étaient glacés.

— Depuis toujours, mon père, mon instinct m'a poussée à faire le mal, à tuer... Mais j'ai lutté de toutes mes forces, j'ai résisté... Jusqu'au jour où...

La femme enfouit son visage dans ses mains et se tut. M. le curé Rochus vit que ses épaules étaient agitées de mouvements convulsifs. Est-ce qu'elle pleurait?

Non. Les yeux qui se posèrent à nouveau sur le prêtre étaient secs.

— J'ai étranglé M. Gyther, reprit la voix monotone, parce que c'était un pilier de café. Il y aura toujours trop, de par le monde, de gens de son espèce. Je lui ai pris son portefeuille pour que sa femme ne profite pas du funeste argent qu'il avait gagné au jeu... Comprenez-vous?

— Oui, murmura M. le curé Rochus d'une voix tremblante. Je comprends.

— J'ai tué le boucher Jules Wyers, poursuivit la pécheresse, parce que lui-même était un grand tueur. Tout, chez lui, était rouge. C'était un bourreau... Il prenait le sang de ses victimes et le faisait boire aux hommes... Moi-même, lorsque j'ai été malade, on m'en a fait avaler des litres... Alors, je suis allée me faire dire la bonne aventure par Guido, le Bohémien, et, en le quittant, j'ai emporté, cachés sous mon manteau, une règle solide et un foulard de soie... Mais le boucher se méfiait... Terré comme un rat dans son trou, il refusait de sortir... J'ai gémi, j'ai crié au secours comme si j'étais moi-même assaillie et il a ouvert la porte de son magasin, il est sorti dans la rue avec un couperet au poing...

La femme fit entendre un rire qui ressemblait à un sanglot :

— La brute!... Mais je me suis jetée sur lui par-derrière, comme on me l'a appris jadis, j'ai noué le foulard autour de son large cou tout rouge et j'ai

tourné plusieurs fois la règle jusqu'à ce que ce fût fini...
Cependant, Guido avait des soupçons à mon endroit;
le jour même de sa mort, il me rencontra sur la route
et me fit entendre qu'il ne plairait qu'à lui de me
dénoncer. Toutefois, il ne s'y déciderait pas avant
d'avoir eu une conversation avec moi et il me fixa
rendez-vous pour le lendemain matin...

Encore une fois, la femme fit entendre son rire
cassé :

–. Ha! Ha! Je n'attendis pas jusque-là... Pendant la
nuit, je pénétrai dans la roulotte. L'imbécile se livrait à
je ne sais quelles invocations... Il ne s'est même pas
défendu : il avait compris ce qui l'attendait dès qu'il
m'avait aperçue... Il était paralysé tout entier par la
peur... Ha! Ha! Il avait peur comme vous avez peur
vous-même, monsieur le curé!...

Le prêtre remua les lèvres mais aucun son n'en
sortit. Comment de telles créatures pouvaient-elles
exister?...

– La nuit dernière, dit la femme, j'ai étranglé un
jeune fiancé, vous le savez... Pauvre petit!... Je lui ai
écrit une lettre où je lui fixais rendez-vous... J'ai été
moi-même la glisser dans la boîte en profitant de la
circonstance pour tracer un rond à la craie rouge sur la
porte... Pour Guido, chose curieuse, je n'avais pas eu à
prendre cette peine, quelqu'un l'avait prise pour moi...
Dès 11 heures et demie, le beau Hubert se trouvait
dans la Grand-Rue... Je me suis approchée de lui
par-derrière, comme pour les autres, et j'ai posé
doucement les mains sur ses yeux... Ha! Ha!... Le
pauvre idiot!... Il croyait que j'allais l'embrasser...
« Bougez pas! » lui dis-je en retirant mes mains... Et,
alors, je l'étranglai...

– C'est affreux! balbutia le prêtre.

– Ah! comme je le haïssais, celui-là! reprit la femme
d'une voix rauque. Il ne m'avait guère vue plus de
trois ou quatre fois et, à chaque rencontre, il m'avait
humiliée, tantôt par un regard, tantôt par son atti-

tude... D'ailleurs, poursuivit-elle avec une subite véhémence, tout le monde, ici, m'a toujours humiliée!... Je n'étais pas comme les autres!... C'est à peine si l'on m'adressait la parole... Seule, j'étais seule... Mais comme j'ai bien ri!...

— Mon Dieu! murmura M. le curé Rochus.

Il tremblait de tous ses membres. Que fallait-il faire? Pouvait-il absoudre cette femme qui n'avait même pas le désir de contrition? D'autre part, il lui fallait se taire, il devait lui garder le secret, le secret rigoureux de la confession... Mais, dans quelques instants, lorsqu'elle aurait quitté l'église, elle serait libre, si ses crises la reprenaient, de continuer impunément à commettre meurtre sur meurtre! Que fallait-il faire?...

— Je suis maudite, disait la voix monotone. Vous savez bien, vous, mon père, que j'ai tout fait pour me sauver... Rien n'a réussi... On m'a dit que ma mère était morte au bagne... Je crois qu'elle avait tué une de ses femmes de chambre... Mais... Mais...

Le visage de la pécheresse s'écrasa sur le grillage de bois :

— Vous me garderez le secret, dites?... Je ne veux pas que vous leur disiez rien... Pour qu'ils viennent me prendre, pour que... Ah! non! non! non!...

Elle avait presque crié cela. M. le curé Rochus joignit les mains. Un fidèle, agenouillé dans un coin de l'église, eût pu, à ce moment-là, soupçonner, grâce à ce cri, qu'il se passait, dans le confessionnal, quelque chose d'anormal... D'autre part, si, par bonheur, une crise nerveuse se déclarait chez la jeune fille, on pourrait l'emporter, la faire enfermer dans une clinique, puis dans un asile... Des médecins aliénistes se prononceraient sur son état...

Mais la voix reprenait, calme, dure :

— Je ne veux pas de votre absolution, monsieur le curé!... Je suis vendue au Malin, corps et âme, vous le savez!... Il n'y a plus pour moi de recours qu'en Satan...

Et la pécheresse, avec un affreux blasphème, s'écarta du grillage, se releva.

M. le curé Rochus accablé, songeait aux possédées du Moyen Age, aux sorcières chevauchant un balai pour se rendre au Sabbat, aux succubes, à toutes les filles de Satan brûlées vives... A celle-ci, aussi, jadis, on eût dressé un bûcher...

A son tour, il sortit du confessionnal en jetant autour de lui des regards furtifs. Une ombre s'éloignait, celle de la folle. Tourné vers elle, M. le curé Rochus fit un grand signe de croix en murmurant, les yeux mi-clos, une formule d'exorcisme.

Le prêtre se dirigea ensuite vers l'autel. Son cœur saignait. Il se prosterna sur les dalles froides et, quand l'église fut entièrement envahie par les ombres de la nuit, il était toujours là, petit tas noir immobile...

Enfin, il remua et, avec un soupir, se releva. Ses os craquaient, il ne put retenir un court gémissement.

« Ma vieille vie, pensa-t-il, puis-je te l'offrir, Seigneur, en échange de toutes ces jeunes vies menacées?... »

Il fit le tour de l'église, vérifiant la fermeture des portes. Mais, aujourd'hui, il faisait cela machinalement, l'esprit seulement préoccupé par ce dilemme : « Ne pas trahir le secret de la confession et éviter de nouveaux drames?... »

Il pensait aussi :

« Comment a-t-*elle* pu faire cela?... La pauvre enfant!... La misérable enfant!... Il faut qu'elle soit folle!... Folle!... Mais nous abuser tous aussi longtemps... C'est incroyable!... »

Enfin, le prêtre entra, comme chaque soir, dans la sacristie et, par là, s'engagea dans le petit sentier qui, entre les tombes du cimetière, menait à la cure.

M. le curé Rochus marchait lentement, les mains

jointes, les yeux rivés au sol. Il paraissait porter sur ses épaules basses, voûtées, toute la misère du monde.

Soudain, il s'arrêta.

Il avait aperçu, sur la ligne claire du sentier, une ombre difforme et immobile.

XXIV

L'ESPRIT IMMONDE

Au passage de ces sept hommes qui avançaient à grandes enjambées et dont plusieurs faisaient de grands gestes et parlaient haut, les gens du village s'arrêtaient, hochaient la tête...

Il n'était pas encore 5 heures de l'après-midi et la nuit, déjà, s'appesantissait sur le village. Çà et là, entre les interstices de persiennes closes, des lumières brillaient. Un grand vent s'était levé, s'engouffrant dans les rues comme un cheval au galop, claquant les portes, faisant grincer les enseignes, décoiffant, d'un coup, le juge d'instruction et le bourgmestre...

Seb Soroge marchait le dernier, détaché du groupe formé par le substitut, M. Binet, M. Héraly, l'inspecteur Cardot et les deux agents. Mains derrière le dos, il allait courbé, regardant obstinément les pavés qu'il foulait. On eût dit que les autres le traînaient, malgré lui, à leur remorque, par d'invisibles fils.

— Hein? s'écria M. Héraly pour la dixième fois. Qui eût pensé cela d'une jeune fille comme elle?... N'est-ce pas formidable?

— Incroyable, fit en écho, le substitut.

— Quant à moi..., commença M. Binet.

Mais le juge d'instruction repartait à nouveaux frais :

— Tout est clair... Il n'y a qu'à vous rappeler... Quand on vient, la première fois, chercher son père pour secourir, s'il en est temps encore, le malheureux

Viroux, elle tient à le suivre pour revoir sa victime...
Désir morbide... Elle étrangle Guido après le bal des
Prégaux, étant ressortie après que l'instituteur l'a
accompagnée jusqu'à sa porte... De son propre aveu,
elle peut facilement quitter, la nuit, la maison pater-
nelle sans que le docteur s'aperçoive de rien... Et pour
Pellerian... Cet ignoble guet-apens!...

Il essuya son front ruisselant de sueur :

– La plus belle affaire de ma carrière!... Quand je
pense que, sans cette perquisition... Attention, nous y
voilà!... Cardot, laissez-moi sonner moi-même, je vous
prie!...

Ayant appuyé deux fois sur le bouton électrique,
M. Héraly se retourna vers ses compagnons. A ce
moment, Seb Soroge, dont la tête était toujours baissée
et qui faisait songer à un gamin boudeur entraîné en
promenade, le dimanche, par ses parents, rejoignait le
groupe.

– Eh bien? fit le juge d'instruction avec un accent
nettement triomphant. Que dites-vous de cela, monsieur l'inspecteur? Vous ne vous attendiez guère, n'est-
ce pas, à une solution de ce genre?...

– Si, si, murmura Seb sans relever le front. Je m'y
attendais plus ou moins. Il ne faut s'étonner de rien.

M. Héraly força la note :

– Même pas, dites donc, de voir un juge d'instruction débrouiller une énigme?... Pensez-vous que le
fameux auteur de votre fameux roman ait jamais
envisagé cela?... Et que son héroïne, sa jolie héroïne,
pût être la coupable, l'a-t-il prévu, croyez-vous?...

Seb releva la tête.

– Tout n'est pas fini, dit-il. Il est même de coutume,
dans le genre de roman dont vous parlez, de voir
quelque innocent attirer sur lui les foudres de la justice
pendant que le coupable court encore...

Il sortit sa pipe de sa poche :

– Vous restez dans la tradition, monsieur le juge.

M. Héraly eut un haut-le-corps.

– Ah! çà, cria-t-il, iriez-vous jusqu'à prétendre...

Mais il n'acheva pas. La porte de la maison venait de s'ouvrir et le docteur en personne se dressait sur le seuil.

– Que voulez-vous? grogna-t-il avec son habituelle mauvaise grâce. Qu'est-ce que...?

Il s'interrompit, posa les mains sur les hanches et dévisagea avec insolence le juge d'instruction et ses compagnons. Il reprit, sur un ton de voix plus irrité encore :

– Qu'est-ce que c'est que ce rassemblement?... Vous n'avez pas la prétention d'entrer tous ici, j'imagine?

M. Héraly se redressa.

– Non, fit-il d'un ton rogue. Il n'est pas nécessaire – du moins, pour le moment – que nous entrions tous. Il suffira que vous consentiez à me recevoir, ainsi que monsieur, monsieur...

Il désignait le substitut et le bourgmestre. Il acheva après une courte hésitation, en montrant Seb Soroge d'un signe de tête :

– ... et monsieur.

Le docteur haussa ostensiblement ses larges épaules et s'effaça. Lorsque les quatre hommes eurent pénétré dans le vestibule, le praticien repoussa le battant avec fracas et interrogea, bourru :

– Que signifie?...

Ce disant, il paraissait extrêmement désireux de mettre tout le monde à la porte sans plus tarder.

M. Héraly fit un pas en avant.

– Nous désirerions, dit-il d'un ton solennel, parler à mademoiselle votre fille.

– Que lui voulez-vous? repartit le docteur.

Le juge d'instruction bomba le torse :

– Eh bien, je vous l'ai dit : lui parler. J'ajouterai que la communication que j'ai à lui faire est strictement personnelle.

Un flot de sang empourpra les joues du docteur :

– Ma fille n'est pas d'âge, répliqua-t-il, à recevoir

des communications strictement personnelles... Ce que vous avez à lui dire, dites-le, ou bien allez-vous-en!

Il ouvrit la porte toute grande.

— Au reste, ajouta-t-il, ma fille ne se trouve pas à la maison.

M. Héraly, dont l'étroit visage était, pendant cette virulente apostrophe, devenu tour à tour livide et cramoisi, reprit espoir.

— Au moins, nous direz-vous, fit-il, où nous avons quelque chance de la rencontrer?...

— Je regrette, répondit l'intraitable M. Hye, ma fille ne m'a pas chargé d'accorder pour elle des rendez-vous à qui que ce soit...

Il regarda le juge d'instruction de la tête aux pieds :

— A vous moins qu'à tout autre.

Il y eut un moment de stupeur. Les choses, décidément, se gâtaient. On entendit M. Binet chuchoter quelques mots à l'oreille du substitut.

Ce dernier se tourna vers Seb qui, les mains dans les poches, le dos appuyé au mur du vestibule, suivait la scène d'un œil amusé.

— Seb, murmura-t-il, tirez-nous de là, mon vieux...

Il y avait beau temps, en effet, que M. Hanon était fixé sur la diplomatie du juge d'instruction. Il insista :

— Faites cela pour moi...

Seb s'avança à son tour vers le docteur.

— Excusez-nous, dit-il avec amabilité. Nous avions simplement le désir de poser à mademoiselle votre fille deux ou trois questions susceptibles de contribuer aux progrès de notre enquête... Sans doute, maintenant que vous savez exactement de quoi il retourne, voudrez-vous répondre vous-même à l'une d'elles, nous dire où nous pouvons joindre Mlle Hye et collaborer ainsi à cette œuvre de justice?...

L'inspecteur se tourna vers ses compagnons :

– Veuillez sortir, messieurs... Je vous rejoindrai moi-même dans un instant.

Il les poussa vivement dehors, sans se soucier des protestations de M. Héraly, et referma la porte.

– Voilà! dit-il alors en se tournant vers le docteur qui suivait ses mouvements d'un œil où se lisait un reste de colère. Voulez-vous nous aider?...

Quand il sortit de la maison – après n'y être, comme il l'avait dit, resté qu'un instant – Seb Soroge paraissait en proie à une vive satisfaction.

– Si vous tenez absolument à savoir où se trouve la jeune fille, dit-il, apprenez qu'elle est allée faire une visite de condoléance aux Prégaux... A votre place, toutefois...

Il s'était tourné vers M. Héraly :

– ... je cesserais de courir après elle.

Le juge d'instruction leva les bras au ciel :

– Vous êtes fou!

Il brandit la fameuse lettre qu'il avait découverte dans la chambre de Hubert Pellerian :

– Cette fille a signé ses crimes! Et vous voudriez... Qu'a bien pu vous dire ce sauvage pour vous faire tourner casaque aussi brusquement?...

L'inspecteur n'eut pas le temps de répondre à M. Héraly qu'il n'avait pas eu à tourner casaque puisqu'il n'avait pas cru un instant à la culpabilité d'Edmée Hye... Des cris avaient éclaté, des gens accouraient en ouvrant des bouches démesurées...

Un instant plus tard, Seb Soroge et ses compagnons, frappés d'épouvante, apprenaient qu'on venait de découvrir, dans le petit sentier du cimetière, à mi-chemin de l'église et de la cure, le cadavre de M. le curé Rochus. Le prêtre, pour autant qu'il y paraissait, avait été étranglé.

– Nous avons entendu un cri..., haleta quelqu'un. Nous sommes accourus... Il était couché là, face contre terre, entre les tombes...

Le juge d'instruction porta les mains à son faux-col.

– La voilà, hurla-t-il, *sa* visite de condoléances aux Prégaux!... Pendant que nous *la* cherchions, ici, *elle... elle...*.

Il suffoqua.

Rompant le cercle des faces anxieuses, Seb Soroge, coudes au corps, prit sa course. L'église n'était pas loin. Il y fut en un instant. Il aperçut un attroupement auprès du mur bas et deux hommes qui se faisaient la courte échelle.

Seb courut plus vite, prit son élan, sauta. C'est à peine s'il effleura la crête. De l'autre côté, il rebondit comme une balle, courut encore. Les gens qui avaient envahi le lieu de repos s'écartaient à son approche. Enfin, il aperçut, couché en travers du sentier, le pauvre corps qu'il cherchait.

Agenouillée à ses côtés, la vieille Estelle, la tête dans son tablier, sanglotait.

Quoiqu'ils se fussent hâtés, le juge d'instruction, le substitut et le bourgmestre n'arrivèrent sur les lieux que dix minutes plus tard. Ils s'étaient cognés à tous les curieux, avaient été obligés, par souci de leur dignité, de faire le tour de l'église, la sacristie...

– Est-ce que... Il est mort? interrogea M. Binet.

Seb, qui était penché sur le corps, leva la tête.

– Oui, dit-il. Mort étranglé, naturellement.

Il se redressa, frotta machinalement son pantalon taché de boue à la place des genoux.

– Tel aura été, messieurs, reprit-il à voix basse, le dernier forfait du monstre qu'on a appelé *le démon de Sainte-Croix.*

– Le dernier? fit précipitamment M. Hanon. Pourquoi dites-vous le... le dernier?

– Parce que, intervint M. Héraly, la coupable sera arrêtée d'un instant à l'autre et que...

– Non pas d'un instant à l'autre, rectifia l'inspecteur, mais cette nuit même. Je pense, d'autre part, monsieur le juge, que vous faites erreur sur la personne... Il ne s'agit en aucune façon de Mlle Hye, que je ne saurais trop vous conseiller de ne pas inquiéter à ce sujet... Cela, dans le but de vous éviter les pires désagréments et une méprise qui pourrait blesser cruellement votre amour-propre...

– Pardon, répliqua M. Héraly, mais je n'ai que faire de vos conseils, inspecteur! Mlle Hye sera mise en état d'arrestation dès que la chose sera pratiquement possible...

– Alors, fit Seb du même ton placide, je souhaite pour vous, du fond du cœur, que la chose ne soit pas pratiquement possible avant minuit, heure à laquelle je compte vous livrer le meurtrier.

L'heure qui suivit fut consacrée par le policier à procéder à deux interrogatoires et à donner des ordres aux inspecteurs Cardot et Henry. Il dit également quelques mots en particulier au substitut du procureur du roi, puis, comme il allait quitter le bureau du bourgmestre, il avisa, sur la table, un sous-main contenant un papier-buvard rose dont, à en juger par les quelques lignes noires qui le traversaient, on ne s'était pas servi plus d'une fois.

Seb s'en approcha, se pencha, tira de sa poche un petit miroir...

– Ne vous donnez pas cette peine, Seb! dit M. Hanon. Ce qui a été séché avec ce buvard, c'est un ordre d'élargissement, signé tantôt par M. Héraly et qui vise Labar et sa sœur. Vous savez qu'ils ont été tous deux, après leur interrogatoire, transférés à la prison de Bruges où M. Héraly est allé les trouver une ou deux fois pour tenter de les faire parler... En vain.

Seb hocha la tête, songeur, et ouvrit la porte.

– Eh bien, dit-il, il ne faut pas, monsieur le substitut, que cet ordre soit exécuté. Labar est coupable, sachez-le... C'est même lui le plus coupable dans cette affaire!...

178

Il y avait, attenant à la maison du curé et au cimetière, un jardin potager, grand comme un mouchoir de poche, qui, de tout temps, avait fait la joie de la vieille Estelle. Elle y passait des heures, arrachant tantôt les mauvaises herbes, tantôt cueillant l'oseille pour le potage, attentive à la pousse de chaque feuille de salade et écartant comiquement les bras de son maigre corps, comme ceux d'un épouvantail, pensant faire fuir ainsi, tout à la fois, mulots, taupes, pierrots et vers blancs, bref, toute la gent parasitaire qui peut s'abattre sur un petit jardin de curé.

Ce soir encore, la silhouette voûtée de la fidèle servante se glisse entre les plates-bandes, se penche, se relève comme une marionnette. La porte de la cuisine, ouverte, plaque un rectangle de lumière sur le sol, éclaire le tonneau plein d'eau de pluie, le vieux torchon jeté sur le seuil usé et un peu du gravier qui emplit le sentier.

Il semble que la vieille fille ait cherché, dans ce décor familier et tant aimé, un remède à sa peine cuisante. Au premier étage de la petite maison, ce sont deux pieuses voisines qui se sont chargées de veiller le corps...

Jusqu'à ce que l'horloge de la cuisine ait sonné 10 heures, la vieille Estelle va et vient dans le petit jardin, sort de l'ombre, traverse lentement le rectangle lumineux, rentre dans l'ombre, ainsi cent fois.

A 10 heures, elle pénètre dans la cuisine, ferme au verrou la porte qui donne sur le jardin, jette un châle noir sur ses épaules étroites, gagne le vestibule, ouvre la porte de la rue, la referme, regarde furtivement à droite et à gauche et s'éloigne à petits pas.

Et chacun de ceux qui, derrière leurs volets clos, guettent la maison du curé, cette maison près de laquelle « il s'est passé quelque chose », voit, avec stupeur, sortir la fidèle servante et s'interroge : « Où peut aller la vieille Estelle à cette heure-ci ? »

La vieille Estelle, les mains croisées sous son châle, la tête un peu penchée, s'en va trottant menu. Sur le haut de la tête, attaché à son chignon par une solide épingle, elle arbore un petit chapeau piqué de strass, celui des grandes cérémonies. Elle a ôté son tablier avant de sortir, l'a accroché à une patère, dans la cuisine, à gauche de la porte.

La voilà qui passe devant le portail de l'église, qui ralentit le pas. Péniblement, elle monte les cinq marches de pierre du parvis. Oui, le grand rond rouge – que tout le monde s'est, tantôt, montré du doigt et à quoi personne n'a osé toucher – est toujours là.

Alors, il se passe une chose pour le moins surprenante. La vieille Estelle, si réservée d'ordinaire, crache sur le vantail; elle le fait avec application, sans remords apparent. Puis elle saisit un bout de son beau châle noir et en frotte – elle, qui prit toujours tant de soin de ses vêtements! – le grand rond rouge qui, petit à petit, s'efface...

Cependant que, de l'autre côté de la place, au bord d'une petite rue noire, une ombre apparaît et disparaît.

Puis la vieille Estelle reprend son chemin. Bien qu'elle semble se hâter, elle va lentement. Lorsqu'elle s'engage dans la Grand-Rue, un son grave tombe du clocher de l'église : la demie de 10 heures.

La fidèle servante du curé longe le trottoir. Rien, dans son attitude, ne peut donner à penser qu'elle éprouve une appréhension quelconque. Elle passe devant la maison de Mme Petyt-Havet, la mercière, où il y a encore de la lumière, au premier étage. Il semble que, à ce moment, la vieille Estelle a ralenti le pas... Quelques maisons plus loin, elle recommence à se hâter et, le bout de la Grand-Rue atteint, elle regarde rapidement autour d'elle et s'en revient...

A 11 heures, elle est sur la route qui mène à Sijsseele, mais lui tourne bientôt le dos pour repasser à

11 heures et demie – pour la quantième fois? – devant la maison de Mme Pctyt-Havet.

Maison aveugle depuis une heure...

Soudain, la vieille Estelle se retourne.

Une ombre s'est élancée vers elle.

Elle fait un geste brusque qu'elle n'achève pas.

L'ombre, immobile maintenant, lui dit quelques mots à voix basse.

– Bon, répond la vieille Estelle. Appelle-les.

L'ombre s'éloigne, se fond dans la nuit, pour reparaître escortée d'une demi-douzaine d'autres ombres.

Pendant ce temps, la vieille servante, d'un geste brusque, arrache son beau petit chapeau de strass; elle s'y prend si brutalement qu'on peut craindre, un instant, voir le chignon venir avec... Ce qu'il fait.

Puis la vieille Estelle se redresse. Sa jupe, maintenant qu'elle ne marche plus voûtée, pend à peine plus bas que ses genoux...

– Eh bien, Seb? murmure une des ombres.

Car la vieille Estelle, en cet instant même, prie et pleure auprès de la dépouille mortelle de son bon maître...

– Eh bien, répond Seb d'une voix rauque, embarrassée, c'est raté! Il est arrivé quelque chose que je ne prévoyais pas... Ou bien avais-je raison de croire par moments que notre *démon* ne s'en prendrait pas à deux personnes en vingt-quatre heures?...

C'était, toutefois, ce qu'il avait espéré lui voir faire. Comme M. le curé Rochus avait été tué plus tôt dans la journée que ne l'avait été aucune autre des victimes, l'inspecteur avait pensé : « Les crises se rapprochent. » Il n'ignorait pas, d'autre part, grâce à la lettre anonyme, œuvre du meurtrier, que ce dernier avait voué une haine particulière à la vieille Estelle. « Après le curé, sa servante! » s'était-il dit. Et, son plan entièrement dressé, il avait gagné la maison du curé et il avait passé deux heures à persuader la vieille Estelle qu'il lui fallait consentir, pour venger son maître, à se dessaisir de quelques-uns de ses vêtements.

Hélas! Seb avait eu beau se montrer le plus possible, se promener dans toutes les rues en paraissant ne pas prêter la moindre attention à ce qui se passait autour de lui, bref, il avait eu beau s'exposer aux coups, *le démon* – ayant peut-être éventé le piège? – ne s'était pas montré.

« Et cependant, pensait Seb avec regret, le prendre sur le fait, non pas la main dans le sac, mais la main à la gorge, quelle belle victoire...! »

Heureusement qu'il s'était assuré une retraite honorable, qu'il avait pris ses précautions en mettant Cardot et Henry dans la confidence; ni l'un ni l'autre n'avaient quitté un instant le poste que leur avait confié Seb et ils lui confirmaient en ce moment même que « l'oiseau n'avait pas quitté son nid ».

– Bref, grogna M. Héraly, où nous menez-vous, monsieur l'inspecteur? Trêve de mystères!... Vous prétendez connaître le meurtrier? Arrêtez-le!

– Dans cinq minutes, répliqua Seb, si tout va bien, ce sera chose faite.

Il introduisit un petit objet en métal dans une porte proche et, celle-ci ouverte sans bruit, se retourna vers ses compagnons :

– Otez vos souliers... Tous...

Ils obéirent en rechignant plus ou moins vivement.

Quand ce fut fait :

– Suivez-moi... Vous d'abord, Cardot... S'il y avait des coups à recevoir... Puis vous, monsieur Hanon... Vous autres, à votre convenance...

Il y eut un déclic : un pinceau lumineux fora l'ombre, en fit surgir les premières marches d'un escalier.

– Allez-y doucement, hein?... Vous verrez que personne ne se réveillera avant que nous soyons en haut... Et si, d'aventure, *l'une d'elles* ne dormait pas, la peur la maintiendrait, comme tous les soirs, clouée au lit...

La silhouette de la vieille Estelle s'enfonça dans l'ombre, s'éleva lentement de degré en degré. On eût dit qu'un fil la tirait vers le toit. Les pans de son châle étaient entrouverts et il en surgissait deux objets; à gauche : une lampe électrique; à droite : un browning.

La maison les absorba tous, l'un après l'autre. Les pieds déchaussés ne faisaient pas le moindre bruit sur les marches de pierre. On eût dit une montée de fantômes...

Enfin, le deuxième étage fut atteint. Sur le palier, deux portes closes. Celle de droite était celle du grenier, Seb le savait. Celle de gauche...

Il s'en approcha, appliqua son oreille au battant. Il avait éteint sa lampe de poche.

En vain, cherchait-il à entendre, de l'autre côté, le bruit d'une respiration. Il ne percevait que les souffles courts, haletants, des hommes dont, derrière lui, il devinait la poussée...

Seb posa la main sur la poignée de la porte et l'y laissa un instant. L'inspecteur, malgré tout son sang-froid, sentait son cœur battre plus vite, plus fort. Il allait falloir tourner cette poignée, pousser la porte, happer, au fond de la pièce, dans un jet lumineux, *l'être*... Il allait falloir s'élancer, ne pas lui laisser le temps d'esquisser un geste de défense...

Ou bien, si la porte ne s'ouvrait pas tout de suite, sous l'effet de cette première sollicitation, il allait falloir se ruer dessus, tout seul d'abord, à plusieurs si elle résistait, et la défoncer à coups d'épaules. Il allait falloir...

Seb pensa, soudain, au trépas de Guido, il revit, à côté du chat blanc dont la tête brûlait en crépitant dans le réchaud à bois, le livre de magie ouvert...

Il recula d'un pas.

— Eloïm, Essaim..., s'écria-t-il.

Et, d'un coup de pied, il ouvrit la porte toute grande.

Il se sentit poussé, porté dans la chambre par ceux qui le suivaient et qui avaient instinctivement foncé.

— Arrêtez! cria-t-il d'une voix rauque.

Le silence qui les avait accueillis, il venait de le reconnaître, il comprenait...

Plusieurs points lumineux jaillirent de l'ombre, éclairèrent successivement une petite table de bois blanc renversée, des images pieuses répandues en désordre sur le plancher et, enfin, un corps qui pendait, raide, du plafond : celui, difforme et pour jamais immobile, de Louise Bosquet, le démon de Sainte-Croix.

XXV

SAINT-THOMAS D'AQUIN
ET MARIE-MADELEINE

Assis sur le coin du bureau, Seb balançait les jambes dans le vide.

— Des explications? fit-il en jetant un regard circulaire sur ceux qui l'entouraient. Vous voulez des explications?... Eh bien, il suffira sans doute que je vous raconte l'histoire de Louise Bosquet, cette histoire que j'ai pu reconstituer grâce aux confidences de Mme Petyt-Havet, la mercière, et de Maria, la femme de Guido...

Tout en bourrant lentement sa courte pipe de bruyère, l'inspecteur poursuivit :

— Le père de Louise Bosquet était un pauvre petit fonctionnaire qui n'avait pas d'autre but dans la vie que d'assurer à sa femme un maximum de bien-être. Il l'avait confortablement logée, fastueusement vêtue, et il lui payait même les services d'une femme de chambre, cette pauvre petite femme de chambre que

Mme Bosquet, au cours d'une crise de colère, étrangla, un jour, de ses propres mains. Si notre *démon* était passé aux Assises, quelle aubaine pour les psychiatres, que de subtiles controverses sur l'hérédité n'eussions-nous pas entendues!... Mme Bosquet fut, pour ce meurtre sauvage, condamnée aux travaux forcés à perpétuité; elle mourut au bagne, quelques années après que son mari eut expiré en la maudissant et en l'appelant en même temps à son chevet. A onze ans, Louise, qui a été confiée à un tuteur, quitte, de nuit, le domicile de ce dernier et, en dépit de toutes les recherches, demeure introuvable...

Seb alluma soigneusement son brûle-gueule avant de continuer :

– Deux ans plus tard, nous la retrouvons dans un music-hall, à Zurich. Elle présente, avec un Italien connu seulement sous le prénom de Guido, un numéro d'acrobatie que l'on m'a dit sensationnel : *La pirouette de la mort*, ou quelque chose de ce genre. Il s'agissait, je crois, d'une série de sauts périlleux exécutés à une hauteur d'une quinzaine de mètres... Attraction vertigineuse qui chaque soir, dans toutes les villes d'Europe où elle est présentée, en Allemagne, d'abord, en Suisse et en Italie, ensuite, en France, en Belgique et dans le Grand-Duché de Luxembourg, enfin, fait courir un frisson dans le dos des spectateurs... Mais tant va la cruche à l'eau... Un soir, Louise rate son coup, s'abat sur le sol. On se précipite, on la relève. Par bonheur – du moins, à ce moment-là, put-on croire que c'était là un bonheur! – elle n'a qu'une jambe cassée. On la soigne dans un hôpital de Diekirch – ville où l'accident s'est produit – mais le diagnostic des médecins est formel : l'enfant (Louise n'a pas encore quinze ans) boitera toute sa vie et devra renoncer définitivement à l'exécution de son « numéro ». Cependant, Guido cherche à la convaincre : elle doit essayer encore, elle ne peut pas abandonner son *art*. Que va-t-il faire, lui, sans elle? La

fortune, justement, commençait à leur sourire...
Mais Louise ne se laisse pas persuader, elle ne tient plus
à risquer sa peau et, lasse des scènes de plus en plus
nombreuses et de plus en plus violentes que lui fait
l'Italien, elle le quitte, un beau matin, comme elle a
quitté, jadis, son tuteur...

Seb, pensif, s'arrêta un instant avant de poursui-
vre :

– Ici se place un nouveau « trou » dans la vie de
Louise, une période pendant laquelle j'ignore ce
qu'elle a pu faire, devenir, et qui s'étend sur treize
mois environ. Puis nous la voyons recueillie, à l'âge de
seize ans, et alors qu'elle se trouve absolument dénuée
de ressources, par Mme Petyt-Havet, la mercière, qui
n'a, pendant une durée de cinq années, qu'à se louer
des services rendus par l'orpheline... Le démon, qui
devait se manifester de si terrible façon, n'est pas
encore éveillé, la folie, en elle, couve comme un feu
sous la cendre sans que personne s'en aperçoive, et si
Louise, par moments, éprouve une subite peur d'elle-
même, vite elle court à l'église, elle se confesse, elle en
revient avec des images pieuses plein son missel...
Jusqu'au jour où...

L'inspecteur, d'un geste machinal – était-il bien
machinal? – déplaça le sous-main dont le juge d'instruction s'était servi la veille, alors qu'il avait rédigé
certain ordre d'élargissement qui, grâce à M: Hanon,
n'avait pas été exécuté.

– Jusqu'au jour, reprit Seb, où Antoine Labar, le
tailleur, étrangla, dans la Grand-Rue de Sainte-Croix,
son rival Aristide Viroux. Crime passionnel que celui-
là, messieurs, et qui ne faisait pas partie de la série –
mais je ne le compris pas tout de suite!... Donc,
Antoine Labar étrangle le commis voyageur et Louise
Bosquet est la première, dans le village, à découvrir le
crime...

Seb Soroge fit une courte pause. Puis :

– Vous imaginerez facilement les réactions de l'orpheline devant ce cadavre... C'est le souffle de vent qui, du feu couvert, va faire un brasier... Le désir de tuer, comme le désir de mourir, se communique, vous le savez, d'un être à un autre avec la même rapidité qu'un incendie de forêt... (Ce pourquoi je vous disais hier que Labar était le plus coupable dans cette affaire...) Désormais, Louise Bosquet est l'esclave de son démon intérieur, de sa folie : elle va, pour le satisfaire, tuer et tuer chaque nuit, tuer des hommes qui ne lui ont rien fait, qu'elle déteste pour des raisons obscures, qu'elle condamne sans appel... Son premier meurtre, c'est celui de M. Gyther; sans doute celui-là n'était-il pas prémédité; sans doute, cachée dans une encoignure de porte, la folle attendait-elle la première personne qui passerait à sa portée? Le pharmacien tué, elle a une idée baroque. Elle va dessiner un rond rouge sur la porte de son magasin, marque qu'elle se propose de tracer sur toutes les maisons de ses victimes... Peut-être, en ce point de sa crise, croit-elle être également responsable de la mort de Viroux? Ou bien prend-elle délibérément ce crime à son compte, éprouve-t-elle une satisfaction particulière à s'accuser, aux yeux de tous, d'un forfait de plus? Toujours est-il qu'elle va marquer également à la craie rouge la porte de l'hôtel où feu Viroux avait pris logement... La veille, elle a appris que Guido s'est arrêté, avec ses roulottes, à l'entrée du village. Elle n'éprouve que rancune à l'endroit du Bohémien et elle décide de le compromettre : elle s'introduit dans une des roulottes, vole trois foulards de soie – on a retrouvé les deux qui n'ont pas servi dans la mansarde de Louise – et une règle d'ébène avec quoi, la nuit suivante, elle étrangle le boucher Jules Wyers après l'avoir attiré hors de chez lui par le stratagème que vous savez... Mais, le lendemain matin qui suit le meurtre, Guido rencontre Louise; il s'est rappelé les mauvais instincts qu'elle manifestait déjà jadis, il connaît sa souplesse, sa force, toute sa redoutable adresse, et il la soupçonne d'être l'assassin recherché par la police. « Je pourrais te dénoncer, dit-il, mais je ne le ferai pas avant d'avoir eu une conversation avec toi. Viens me trouver, demain matin, dans ma roulotte... » Guido, en effet, qui a perdu, avec Louise, son plus sûr gagne-pain, espère, par la menace, contraindre l'orpheline à reprendre la vie d'autrefois. Mais la nuit même, Louise, qui a compris le danger et s'est brusquement sentie à la merci de l'Italien, pénètre dans la roulotte alors que Guido invoque *l'esprit immonde* et l'étrangle proprement... Entre-temps, elle a rédigé une lettre anonyme qu'elle a envoyée au juge d'instruction et dans laquelle elle tâche, maladroitement d'ailleurs, de jeter la suspicion sur trois personnes qu'elle déteste particulièrement et qu'elle compte bien, sans doute, si la police les laisse tranquilles, étrangler comme les autres... Elle s'y décide d'ailleurs très vite en ce qui concerne l'une d'entre elles : Hubert Pellerian. Mais comment attirer le jeune homme hors de chez lui? Ayant appris, par quelque commère, qu'il fait la cour à la fille du docteur, elle lui fait tenir une lettre, signée Edmée, où elle lui fixe un rendez-vous; sans doute, ce moyen présentait-il des inconvénients. Louise ignorait l'écriture d'Edmée Hye et ne pouvait, par conséquent, l'imiter; d'autre part, il se pouvait que Hubert Pellerian connût, lui, cette écriture, et ne tombât pas dans le piège?... Simple chance à courir...

Seb s'interrompit et regarda longuement ses compagnons :

– Il m'a suffi, dit-il, pour que j'écarte définitivement la culpabilité de Mlle Hye, de montrer, hier, au docteur, la lettre anonyme qui, écrite également par l'auteur du second billet, devait être, par le fait même, l'ouvrage de la jeune fille... Le docteur a haussé les épaules, naturellement... Mais venons-en au meurtre du curé. Celui-ci est particulièrement caractéristique. Plusieurs voisins ont vu, hier, Louise Bosquet pénétrer dans l'église. (Maintenant que l'identité du criminel est connue, c'est extraordinaire de voir affluer les témoignages!) Nous pouvons donc supposer que l'orpheline est allée se confesser car elle avait l'habitude de le faire deux ou trois fois par semaine. Avoue-t-elle ses crimes au prêtre?... Cela n'aurait rien d'impossible. Et c'est sans doute la crainte d'avoir livré des armes contre elle qui la pousse, une fois de plus, au crime... Cette fois, cependant, la mesure est comble, les rouages grippent et la folle, dans quelque effrayant moment de lucidité et de remords, met un terme à sa propre vie...

— Mais, interrogea M. Hanon, comment avez-vous su, Seb, après ce dernier meurtre, d'où venaient les coups?

— Ma foi, répondit l'inspecteur, je me suis conduit comme un novice dans cette affaire. Tout bien réfléchi, c'est, pour moi, un cuisant échec puisque je ne suis parvenu à empêcher aucun crime, à sauver personne... Les indices sont venus trop tard, après la mort de M. le curé Rochus, sous les espèces de deux petites images pieuses ramassées par moi à côté de son cadavre. L'une représentait saint Thomas d'Aquin; l'autre, sainte Marie-Madeleine. Mais elles étaient, toutes deux, abîmées, défigurées, elles portaient d'odieuses surcharges à la plume et au crayon. Je pensai aussitôt que c'était là l'œuvre de l'assassin car on peut tout attendre d'un iconoclaste. Les images, aussitôt enfouies dans ma poche, je posai quelques questions aux villageois qui m'entouraient : Est-ce qu'ils connaissaient quelqu'un qui faisait collection d'images pieuses? Quelles étaient les personnes qui fréquentaient le plus assidûment l'église? Etc. Je ne laissais pas que d'influencer légèrement leurs réponses car j'avais acquis des soupçons à l'endroit de l'orpheline. Toutefois, les questions posées par moi, jusqu'alors, à Mme Petyt-Havet, les avaient plutôt infirmés. J'allai retrouver la mercière, vous le savez, et j'appris par elle la manie de sa servante qui avait un plein tiroir, fermé à clef, des images que lui donnait le curé. Enfin, je tenais mon indice de folie!... Pressée de questions de plus en plus précises, Maria, la femme de Guido, me contait à son tour, quelque vingt minutes plus tard, l'histoire que vous venez d'entendre...

— Mais, intervint le substitut, sur votre liste, Seb, il y avait une croix à côté du nom de Louise Bosquet et, si je ne me trompe, cinq chiffres... Ce qui voulait dire, n'est-ce pas, qu'elle avait cinq alibis?

— Oui, dit Seb, dont quatre fournis par Mme Petyt-Havet et sans valeur aucune puisque l'orpheline descendait chaque nuit l'escalier de pierre et, à l'insu de la mercière, se glissait hors de la maison. Elle était bien tranquille, Louise, elle savait que sa protectrice, même si elle avait entendu du bruit, n'eût pas osé sortir de son lit... Quant au cinquième alibi...

Seb sourit :

— Ah! celui-là est solide... Puisqu'il est vrai! De sorte que si, pendant un instant, vous mettez le premier crime sur le compte du même coupable, si vous l'incorporez à la série – ce que nous avons tous fait, je crois bien, au début! – vous arrivez à cette conclusion pour le moins baroque que l'assassin a étranglé Viroux sans quitter sa chambre... Dans ces conditions, tant que nous n'avions pas compris qu'il fallait départager les crimes, en détacher le premier, personne d'entre nous n'eût pu admettre la culpabilité de Louise Bosquet!

— Mais, interrogea le juge d'instruction, pourquoi Labar, s'il n'est coupable que du premier meurtre, s'est-il, l'autre jour accusé, ici même, du second?

— Tout simplement, répondit Seb, pour revoir sa femme. Le marchand-tailleur est le type même du passionné rapportant tout à sa passion. A ce moment-là, pour peu qu'on l'en eût sollicité, il eût avoué tous les crimes commis de par le monde pendant ces dix dernières années... N'aviez-vous pas pratiqué, monsieur Héraly, une sorte de petit chantage à son endroit : « Avouez et vous reverrez votre femme! »

Au reste, Labar, sitôt qu'il se fut aperçu que des crimes continuaient à se commettre, n'a-t-il pas cherché à tirer profit de la situation en niant tout, cette fois? Qui, plus que lui, avait intérêt à nous voir mettre tous les meurtres sur le compte d'un seul et même individu?...

Seb se laissa glisser bas de la table.

— Maintenant, dit-il, si vous le voulez bien, je vais courir jusqu'au bureau de poste, expédier un télégramme...

M. Hanon sourit :

— A votre fiancée, hein?...

— Oui, répondit gravement Seb. J'ai hâte de la revoir.

Mais il faut croire qu'elle avait au moins autant de hâte que lui...

On frappa à la porte, un agent entra.

— Monsieur l'inspecteur, dit-il en portant la main au képi, il y a en bas une... une...

— Une... quoi?

L'agent rassembla ses forces :

— Une jeune demoiselle qui vous demande.

— C'est elle! cria Seb.

Et il plongea dans l'escalier.

Février-juin 1931.

Le Club
des Masques

IMPRIMÉ EN FRANCE PAR BRODARD ET TAUPIN
Usine de La Flèche (Sarthe).
ISBN : 2 - 7024 - 2195 - 4
ISSN : 0297 - 0384

H 31/0743/0